韓国のデマ戦法

●

Murotani Katsumi

室谷克実

産経セレクト

S-018

まえがき

コロナウイルス禍、日本のあるテレビ局が、日本の医師が述べた「むやみに検査数を増やすべきではない」とのコメントを〝編集詐術〟を駆使して、「日本も大量検査をすべきだ」と主張したかのように報道した。

大量検査は一時、韓国のお家芸だった。「日本も韓国のように……」式の「学ぶべき国＝韓国」という見方があるのは当然のことだ。

しかし、取材対象の発言を〝編集詐術〟により真逆に受け取れるように変えてまで、韓国を持ち上げるテレビ局とは何なのだ。もはや韓国の宣伝媒体でしかない。

私は、韓国の駐日大使館の「対日世論工作予算」が、2020年は前年の3・3倍にも急増したことと無縁だろうかと疑う。

韓国の南官杓（ナム・グァンピョ）駐日大使は、大幅増になった対日世論工作予算に関連して「日本の世論を主導する財界やマスコミなどを攻略する計画だと述べた」（聯合ニュース19年12月23日）という。この短い記事に着目せざるを得ない。

日本のマスコミ界の裏面では「K（コリアン）マネー」が蠢（うごめ）いているのだ。だからだろうか。

日本のマスコミは、韓国の情報当局（旧KCIA）がかねて、対日情報心理戦を展開してきている事実を報じない。

対日情報心理戦の基本目標は「日本の中に親韓派を増やすこと」だ。そう説明されると、とても穏やかに聞こえる。「韓流の売り込みも、その一つだ」と言われたら、「そんなものか」と納得する日本人も多いだろう。

しかし「韓流」とは、日韓両国間の葛藤の経緯や、韓国と韓国人の実態・実情を知る努力を棚上げにさせて、「韓国の歌手が格好いい」「韓国の屋台菓子が美味しい」といった次元だけで、親韓派を増やすことを目的にした国策だ。韓国政府が展開している「対外愚民化政策」といえる。

韓国の新型コロナ防疫策は、国民総背番号制を背景に、スマホの位置情報、カード決済記録、防犯カメラの映像を解析して、陽性者と接触した可能性がある人間を割り出し、検査をして陽性なら強制入院・隔離する。

マイナンバーにすら文句が出る日本で、できる手法ではない。それなのに、日本のテレビのコメンテーターたちは「日本も韓国のように……」を繰り返した。

韓国の実態・実情を知らないまま「韓国のように」とは、まさしく韓流レベルだ。彼らの中に、韓国の情報心理戦に釣り上げられ、毒饅頭（世論工作費）まで食べた人間がいたとしても、何ら不思議はない。

そしてコメンテーターの発言を受け売りして回る人々がいる。テレビに踊らされている自覚もないテレパヨ（おそらくネトウヨの反対語）だ。

日本のマスコミは、韓国の文在寅（ムン・ジェイン）大統領が共産主義者であることを伝えない。彼が警察を「左翼政権の私兵」にして、「人民共和国」に向けた教育政策を強引に推進している事実にも触れない。

その政権は、日韓関係の法的破綻を目標に掲げている。彼らの言葉では「韓日条約体制の打破」だ。

彼らの立場からすれば、いわゆる徴用工判決により、ようやく韓日条約体制をほとんど打破したのだ。したがって修復する気など、さらさらない。それでも日本の利用できる部分は利用したいというのが彼らの本音だ。

それなのに日本のマスコミは「文在寅政権も、膠着した日韓関係を打開したい」と本気で願っているかのような幻想を振りまいている。

上梓するたびに述べていることだが、隣国の状況は冷厳な視点で捉えなければならない。

この本は、文在寅政権が韓国をどんな方向にもっていこうとしているのかを中心テーマに据えた。そして、日本で報じられない事実、とりわけ韓国人の思考方式の解明に力点を置いた。

本書が、隣国の実態・実情を捉え、隣国との付き合い方を考える参考になることを願う。

2020年6月

室谷克実

＊なお、本文中は敬称を一切省略した。ウォンの円換算値も省略した。100円＝1000～1150ウォン。おおまかなところ、日本円の10分の1と思っていい。

装丁　神長文夫＋柏田幸子
ＤＴＰ製作　荒川典久
帯写真提供　共同通信社

韓国のデマ戦法◎目　次

序章　反日フレーム戦術

文大統領の「国民総ホルホル化」作戦

「豚もおだてりゃ木に登る」と言う。その伝で行けば、「韓人おだてりゃ空に舞う」だ。

韓国人は、おだてに弱い。外国元首が韓国に対して述べた外交辞令も、一流紙が真に受けて報道する。それを読んだ国民は「誇らしいことだ」と素直に反応する。ネット用語でいう「ホルホル」（気恥ずかしさも見せず有頂天になる様）状態に陥るのだ。

しかし、他人がおだてなくても、韓国人は幻想を見て自画自賛して舞い上がる特異な術を持つ。

その術に長けた代表的な人物が文在寅大統領だ。

２０２０年４月の国会議員選挙は、「大韓人民共和国」へ進むのか、自由民主主義陣営に踏み留まるための橋頭堡が守られるか——の分岐点と位置付けられていた。

しかし、保守野党の陣営は分裂を重ねていた。

同大統領は、こうした状況であれば、左翼陣営を固めることで、選挙戦に圧勝できると読んだのだろう。

「左翼政権であること」を明確にして選挙に勝利すれば、その後は憚ることなく

「大韓人民共和国」への歩みを進められる。

19年の暮れには、「韓国版ゲシュタポ」とまで言われる「高位公職者犯罪捜査処」（公捜処）の設置法を強行採決で成立させた。

そして20年初頭には、金銭疑惑に塗れた「赤いタマネギ男」こと曺国（チョ・グク）・前法相を露骨に庇（かば）ってみせた。

武漢発の新型コロナウイルスの感染が韓国内で拡大しても、中国人の入国はノーチェック。「中国と韓国は運命共同体」と言い、対中屈従姿勢をいっそう鮮明にした。そして、雇用統計の都合の良い数値を根拠に「わが経済は正しい方向に進んでいる」と自画自賛を続けた。

韓国のネットの書き込みが、情報機関（旧ＫＣＩＡ）の下請け作業員による工作で左右されていることは、もはや公然の秘密だ。そこに、「ムンッパ」と呼ばれる熱狂的な文在寅支持者が加勢する。

が、２０２０年2月初旬の時点では、そうした組織的な「賛同クリック数」を得た意見が、記事に対するコメント欄の上位に進出できないほど、保守派の政権批判が強まった。コロナ禍に直結する中国への屈従姿勢が、潜在的な反中感情に火をつけた。

それが中間派や支持政党なしのグループだけでなく、従来の文在寅支持層にまで広がったのだ。

このまま行けば、4月の国会議員選挙は「与党大敗か」と思われた。

しかし韓国の政権は、おだてに弱い国民性を冷厳に分析したのだろう。

新興宗教「新天地」の宗教儀式に伴う感染拡大を、しらみつぶし型の検査・強制入院で抑え込み、評判の悪かった「政権の自画自賛」をピタリと止めた。

反日と公金による「票買収」

代わって出てきたのは「コロナを克服できたのは、成熟した市民意識のおかげ」「偉大なる国民のおかげ」といった〝国民おだて〟のPRだった。

与党陣営は「反日か親日かの選挙だ」と喧伝した。これを韓国では「反日フレーム戦術」と呼ぶ。

「安倍・日本は半島を再侵略して、再び植民地にしようと狙っている」「日本の再侵略の手引きをしようとしている親日派を当選させていいのか」……日本が韓国を植民地にしようと狙っているという前提からして、ＯＩＮＫ（オンリー・イン・コリア、「韓国でしかあり得ない」の意味）型の妄想だ。

与党のシンクタンクである民主研究院は19年7月、各種世論調査の結果を分析して、「反日の姿勢を貫き、野党との違いを鮮明にすることが選挙に有利に働く」とする内容の報告書をまとめていた。

与党は、この報告書の提言を実践したのだ。

実際のところ、保守野党の有力政治家たちは、集中的に「反日フレーム戦術」を仕掛けられ、議席を失った。

選挙管理委員会と警察は、露骨に「政権の味方」として行動した。

投票直前には、大統領が「7割の世帯に災難支援金を支給する」と表明した。同様の支援金は当時、日本をはじめ各国で手続きが進められていた。

が、韓国の場合は「選挙の投票直前」「政権の独断決定」であることが、日本とは決定的に違う。

「自治体が2割負担」との説明が出るや、自治体からは「何の相談も受けていない」と反発が出た。文在寅政権は、よほど慌てていたのだろう。

ここで与党が敗北したら、その後はジワジワと追い詰められ、強権発動も封じられたまま、次の大統領選挙で保守政権の復活となりかねない。

それは、文在寅政権が朴槿恵（パク・クネ）政権の要人たちにしたように、「全員監獄送り」になることを意味する。

そういう選挙なのだから、銃弾（たま）は撃てるうちに撃たなくてはいけない。後々の財政負担など考える必要はない。そうした切羽詰まった状況の中から出てきたのが、災難支援金支給方針だった。

コロナ禍を悪用した公金による「票買収」に他ならない。

そこまでしたのに、小選挙区での得票率は、与党49%、保守野党41%だった。

しかし獲得議席数では、汎与党陣営１９０、汎保守野党１１０となった。

政治の現実は、「僅少差の得票率」など一瞬にして忘れられてしまう。「大差の獲得議席数」だけを見て動く。しかも保守野党は党首をはじめ有力者が「反日フレーム戦術」を跳ねのけられずに落選した。このダメージは大きい。

選挙の２日後に発表された３月の雇用動向調査によると、60歳以上の雇用者がバラマキ型の失業対策事業などにより前年同月比33万人も増加したが、全体の雇用者数は19万人減少した。もうメタメタだ。

その上に、レイオフされた人員（統計上は有職者）が161万人に達したと明らかにした。レイオフ期間終了後は、そのまま失業者となる可能性が極めて高い。「大失業時代」の到来だ。この調査が選挙前に発表されていたら、選挙結果はどうなっていたのだろうか。

政権は早々と「韓国版ニューディール」構想を打ち上げた。具体的内容は何もない空念仏だ。それでも「コロナ克服」の幻想と相まって火消し効果は絶大だった。大統領支持率は5月初めには71％にも達した。が、4月の雇用者数は前年同月比47万人の減少だった。

左翼のヒトラーの演説

5月6日には、新型コロナウイルスの感染者がソウル梨泰院（イテウォン）のゲイ専門クラブを起点に再拡大していることが判明した。

韓国は4月30日の釈迦の誕生日から5月5日のこどもの日まで、日本と同じように飛び石連休だ。しかし、政府の「社会的距離を保つ」要請は解除されていなかった。

それなのに4月30日夜から5月1日の早朝まで、梨泰院に数カ所ある専門クラブには5000人を超えるゲイが集まっていたというのだ。

当日の映像を見ると、密閉空間で若者たちが体を密着させて踊っている。「成熟した市民意識によりコロナを克服した」とは、もう吹き出してしまう。

韓国が今日も慰安婦大国であることは、よく知られているが、実はゲイ大国でもある。中国では韓国人の男色組織が何度か摘発されている。韓国軍はゲイの温床でもある。20年3月には、兵舎で中尉が複数の下士官に犯される事件があった。

7日には、俗にいう慰安婦問題の運動組織である正義記憶連帯（旧挺身隊問題対策協議会＝挺対協）の金銭疑惑を、挺対協で30年間も活動してきた自称「元慰安婦」が告発会見した。

が、大統領は表向き動じなかった。

5月10日には大統領就任3年の記念演説をした。

「韓国の防疫は世界の標準になった」と強弁したばかりか、経済分野でも「世界を先導する大韓民国」を目指すとまで述べた。

「われわれが見習いたかった国々が、われわれを習い始めました。われわれが標準となり、われわれが世界になりました。今や（諸外国が）大韓民国の偉大さについて語り始めました」

まさに左翼のヒトラーの演説だ。

どうやら文在寅大統領は、都合の良い資料だけを脳内に溜めこんでいる。都合の良い資料から組み立てた幻想を見ながら、国民をおだてているうちに、誰よりも高く自分が舞い上がってしまったのだ。

話は前後するが、4月29日に利川市で建設中の物流倉庫で火災が発生した。地下2階から出火すると、断熱材から発生した猛毒ガスが一瞬にして倉庫全体に広がり38人が死亡した。

17年12月、堤川市でテナントビルが焼け、29人が死亡した時、大統領は直ちに遺体安置所を訪れた。大統領府によると「大統領は涙を見せた」という。

今回は現場にも弔問所にも行かなかった。その代わりだろうか、5月1日には久しぶりに側近を引き連れて街に出て昼食を取った。料理はコムタン、牛の内臓を煮込んだものだ。

本当かどうか「涙を見せた大統領」と、写真を見ると高笑いしながら牛の内臓を口に運ぶ大統領。1年半ほどの間に、ずいぶんと変わったものだと思う。後者の方が彼の地顔なのだろう。

「赤いタマネギ女」も守る

正義記憶連帯は、「会計帳簿の入力ミス」どころか、「慰安婦を利用したビジネス」だった側面が次々と明らかにされ、尹美香（ユン・ミヒャン）・前理事長の横領・詐欺疑惑へと拡大している。正義記憶連帯どころか「悪事連」だ。尹美香は「赤いタマネギ女」だ。

挺対協→正義記憶連帯の問題は、そちらの方角にばかり燃え広がっている。

しかし、自称「元慰安婦」は告発会見で、①尹美香は慰安婦問題に関する日韓〝不可逆〟合意の内容について、政府から事前に聴いていたのに、元慰安婦たちには伝えなかった②挺対協は、合意に基づき設立された財団からの見舞金を受け取らないよう、元慰安婦たちに圧力をかけた――ことも明らかにしている。

文在寅政権は、挺対協の「被害者には何の相談もなかった」とする報告を根拠にして〝不可逆〟合意を事実上の反故にした。

だから、正義記憶連帯のスキャンダルは、文在寅政権の対日政策の根幹に関わる。

いや、だからこそなのだろう。政権与党は「正義記憶連帯を批判することは親日行為だ」などと、ここでも「反日フレーム」戦術を全面に押し出し、「赤いタマネギ女」を躍起になって擁護した。

世界史を見れば、共産主義を標榜する政治勢力は政権を握るや、打倒したブルジョワ勢力よりも悪辣（あくらつ）な金権集団に変質する。

文在寅政権は共産主義を標榜しているわけではないが、左翼政権の下の新権力層は悪辣なブルジョワ化の道を歩んでいる。「赤い新権力層」の利権を守ることが、左翼政権の永続化に直結すると、政権中枢は読んでいるのだろう。

大統領は、就任3年演説の随所に「危機克服のDNAを持つ国民の皆様を信じています」「国民が偉大だったのです」「国民の皆様を心から誇りに思います」「任期の最後まで偉大な国民と共に歩みます」などと、おだての台詞をちりばめた。

私には大統領の演説を読み直すほど、韓国が危険きわまりない国と思えてくる。遠からず大韓人民共和国への大転落が始まるだろう。

第1章

大韓人民共和国への歩み

大統領はマルクス主義者

韓国の文在寅大統領とは、「マルクス主義者」、あるいは「共産主義者」と呼ぶべき歴史観と信念体系の持ち主だ。ただし、マルクス主義、共産主義とはおよそ無縁の王朝国家である北朝鮮に対しては、どれほど悪罵（あくば）を浴びても「屈従姿勢」を崩さない。何しろ哨戒艦「天安」沈没事件（2010年3月）で、国際調査団が「北の犯行」との結論を出しても、北を擁護した勢力こそ、現在の文在寅政権の中核なのだ。今後、同じような事件が起きても、この政権は本質「屈従」を変えないだろう。

そうした異様なまでの〝北朝鮮愛〟と「反日」の言動が、彼のマルクス主義者としての本質を隠している。

韓国の保守系紙は、文在寅政権の「従北」姿勢を厳しく批判しても、文在寅のことを「マルクス主義者」「共産主義者」とは決して書かない。

多くの日本の新聞・テレビは「従北」という用語すら使わない。「親北朝鮮」とするるだけだ。

日本の新聞・テレビの場合は、日本に関係する外交案件や不買運動などに関しては詳しく報じても、文在寅政権の内政については、ほとんど伝えない。

過激労組の暴力行為と、それを取り締まらない警察。歴史や社会科教科書の左翼型独断改訂。警察による選挙干渉。国民年金公団の株主権行使による企業経営への介入……凄まじい左翼政策＝保守勢力壊滅政策が、「積弊清算」などの名の下に進められてきた。

外交面は、反米・反日であり、対中・対北屈従だ。

まさしく「マルクス主義政権」の政策であり、「人民共和国」への道だ。

ところが、文在寅政権下の韓国が、そうした方向に進んでいることを、日本のＡＴＭ（朝日、東京、毎日新聞）信者は、ほとんど知らないようだ。

それで、著名な社会学者まで「中国に対抗するために戦略的パートナーになるとしたら、韓国以外にありません。民主主義の国同士、価値観もそれほど違わない」と頓珍漢なことを言い、それが持て囃されるのだろう。

韓国のことを「日本と同じ、西側の民主主義の国」と信じている人々にとっては、「文在寅とはマルクス主義者」とする指摘こそ、「非常識な認識」であるに違いない。

しかし、文在寅の発言を追えば、彼は従北派である前に、独善的なマルクス主義者であり、それを糊塗するために反日思想で装飾していることは明白だ。その点から述べていこう。

文在寅の階級闘争論

文在寅は２０１７年の大統領選挙前に『大韓民国が問う』と題する対談集を上梓した。韓国紙（２０１７年1月17、18日付の朝鮮日報、同18日付けの東亜日報。18年7月５日付の中央日報）によると、彼はその本の中で以下のようなことを述べている。

「朝鮮時代に勢道政治で国を滅ぼした老論勢力が日本強占期に親日勢力となり、解放後に反共という仮面をかぶって独裁勢力となり」

「親日勢力が独裁軍部勢力や、安全保障にかこつけたエセ保守勢力に、その時その時で仮面を変えただけ。親日から反共へ、あるいは産業化勢力へ、地域主義を利用した保守という名前へ」

これらの記述は、彼の基本的歴史観と見ていい。

李王朝末期の老論勢力、日本統治時代の親日勢力、独立後の独裁軍部勢力、反共勢力、産業化勢力、保守勢力……彼の頭の中では、これらの勢力は名前を変えただけで、実態は同じものなのだ。彼は、それを「主流勢力」と呼ぶ。

彼はさらに、「親日行為に対して、確実に審判を受けさせなければならなかった。なのに解放後も独裁勢力とくっつき、またもぜいたくな、いい思いをしたではないか。民主化がなされたなら、独裁時代に享受していた部分について代価を払うべきだ」と述べている。

「民主化がなされたなら」とは面白い認識の表明だ。彼は、17年初頭の韓国を「民主化がなされていない」と見ていたのだ。

払うべき代価とは何か。財産没収だろうか、監獄送りだろうか。

そして、「(私が) 最も強烈にしたい話は」と前置きして「韓国の政治の主流勢力を交替しなければならないという歴史的正当性だ」と言う。

「主流勢力」を「ブルジョア階級」に、「歴史的正当性」を「歴史の必然」に読み替えたら、マルクス主義の階級闘争論そのものなのだ。

東亜日報（韓国語サイト）は以下のように伝えている。

――対談集の中で、自身と違う立場にある人々の攻撃には「本当に何一つ動じることはない」としながら、「ただし私たちの進歩陣営内部の批判や進歩言論の批判にはとても痛く感じて耳を傾けた」とする部分には目を疑うほかない。保守陣営、保守言論から出る批判は、どんな話も聞かないという一方通行宣言とも聞こえる——

民主労総はナチス政権の突撃隊

東亜日報の指摘の正しさは既に充分に実証されている。

保守陣営、保守言論から出る批判にはまったく応えないばかりか、都合の悪い経済統計も目に入らないようだ。

だから、輸出依存度が異常に高い国で輸出額が連続して前年同月の実績を割り込んでいるのに、失業対策事業による雇用者数が増えていることだけに着目して「わが経済が正しい方向に向かっている」（19年9月16日の大統領府首席秘書官・補佐官会議）と、シャアシャアと言えるのだ。

韓国では、大統領から閣僚に指名された人物は、就任前に国会で人事聴聞を受けなければならない。難なく通過した閣僚は少ない。何人かは野党の集中砲火を浴びて指名を辞退（実は大統領からの辞退要請があってのこと）したが、それらの人々に共通するのは、極左政党である正義党まで起用に反対したことだ。

保守野党が、脱税や子息の兵役逃れなどの証拠を突き付けて起用に反対しても、文在寅政権は中央突破を図った。しかし、極左政党が反対したら、それに従ってきた。文在寅は盧武鉉（ノ・ムヒョン）政権の時代、大統領府民情首席秘書官、さらには大統領府秘書室長（政権のナンバー2）として、正義党の源流に当たるグループの公安事犯に対して、異例の恩赦（おんしゃ）を施した。さらに、同じ人物が再び服役すると、同一人物に対して、異例中の異例となる2回目の恩赦を取り計らった。

そして彼の娘は、正義党の党員だった（その後、タイに移住。これをめぐっては、様々なスキャンダル情報が出回っている）。

正義党とは、「極左の少数野党」「従北政党」というよりも民主党の上に君臨する司令部といった感じさえしてくる。

過激労組の全国民主労働組合総連盟（民主労総）も、民主党左派と正義党の系列が主導権を握っている。民主労総はしばしば「反文在寅政権」を掲げてデモをする。「民主労総が国会前で大規模な集会を開き、文政権を糾弾した」（中央日報18年12月2日）と伝えるような韓国紙もあるから、日本の大学教授が「文政権と民主労総は対立関係にある」と思い込むのは無理もない。と言って、そんな思い込みで、情報を発信するのは止めてもらいたいが。

実は、民主労総の政権攻撃は多分に「なれ合い」「八百長」の面がある。民主労総の要求は「文政権よ、もっと左に寄れ」ということだ。

いちおう合法の線で「積弊」と闘う政権にとっては〝頼もしい応援団〟なのだ。「積弊」とは、文政権成立後に一般的な政治・社会用語になった。「積弊」とは何か。政権中枢の感覚としては「積弊＝既存の法益に守られた分厚い保守の壁」といったところだろう。

民主労総は大企業と公営企業の労組が中心だ。韓国の雇用構造は、公務員を除く賃金労働者の6割超が従業員300人未満の事業所で働いている。5人未満の事業所なら、従業員の勤労所得はほとんどの場合、法定最低賃金の前後だ（法定でも実際には守られていない）。ところが、現代自動車の平均給与となると、トヨタ自動車を上回っている。

全世帯を所得順に並べて5等分する5分位統計。民主労総所属の労組員なら、その最上位である第5分位か第4分位に属する。簡単に言えば「過激な暴力的労組に属する組合員は金持ち」なのだ。

金持ち労組員が、左翼政権に向かって「もっと左に寄れ」と発破をかける。そして民主労総が暴力によって突破口を開き、政権がそこを楽々と通り抜けていく。

民主労総は、ナチス政権でいえば突撃隊に当たる。

検察は「権力の猟犬」

日本の新聞はなぜかほとんど報じないが、文在寅政権は「人民民主主義国」への政策を着々と推進している。

まず手を付けたのは検察だった。検察人事の本流から外れた部署にいた左派系の検事を首脳に抜擢することで、年次が上の検事たちを退職に追い込み、検察を完全にコントロールした。

検察は朴槿恵政権の実力者たちを次々に〝お縄〟にした。重大な疑惑を捜査していて、ある人物の犯罪関与が明確になったからではない。「こいつを逮捕してやる」と標的を定めてから、身辺捜査をして何らかの法律違反に引っ掛ける手法だ。

例えば、省庁の職務規定にないことを部下に指示したから「職権濫用罪」に当たるといった具合だ。退職して1、2年になる元公務員を形式法規違反で逮捕・拘禁してしまうのだ。

検察はその後、「タマネギ男」こと曺国・前法相への捜査をめぐり、文在寅大統領との間に軋轢（あつれき）を生じた。それで韓国でも日本でも〝正義の検察〟とする見方が出ているが、どうか。

保守政権下の検察が「権力の番犬」だったとしたら、文在寅政権下の検察は「権力の猟犬」になった。そして、ご主人の愛玩犬にも噛みついたのだ。

それで、大統領と秋美恵（チェ・ミエ）法相は、大統領府のスキャンダルの捜査に関与した上級職検事22人を一斉に左遷した。尹錫悦（ユン・ソキョル）検事総長が無傷で残ったのは、検事総長の任期は法律で決まっているからだ。

文在寅与党の実力者は「高位公職者犯罪捜査処（公捜処）が発足したら、尹錫悦が最初にしょっ引かれる」と豪語している。公捜処とは19年末の国会で強行採決により設置が決まった「政権直属の特殊検察」であり、〝韓国版ゲシュタポ〟と言われる。

検察の次は裁判所だった。やはり人事政策で掌握した。田舎の高裁のトップだった「左翼のお友達」を、最高裁長官（韓国では大法院長という）に据えたのは、その典型例だ。最高裁長官は、最高裁判事経験者の中から選任するという慣例を破ったのだ。

この人物が、いわゆる徴用工裁判で、日韓条約を踏みにじる判決を下した。朴槿恵政権は、「左翼思想の持ち主」であることを承知の上で、高裁のトップに任じていた。その意味では、積み上げられてきた人事慣例を守る温和な政権だったと言える。

しかし、後を襲った文在寅政権は、前政権の温和さの故に生き延びてきた左翼を引き上げ、「積弊清算」の名の下に、保守派と見られる高級公務員を次々とパージした。

典型的な手法は、省内に「積弊清算のためのタスクフォース」をつくることから始まる。そこには「市民団体の代表」と称する左翼活動家や、懲戒免職になっていた元職員まで加わる。省内の人民裁判組織と言える。

例えば、文化体育観光省の「文化芸術界ブラックリスト真相調査委員会」(タスクフォースに当たる）は、傘下の機関の職員まで含む26人を「検察に捜査依頼」し、１０４人を懲戒処分するよう文化体育観光相に勧告した。

こうした上申システムに、どんな法的根拠があるのか、定かでない。

教育省の「歴史教科書国定化真相調査委員会」(タスクフォースに当たる）は、朴槿恵政権の時の歴史教科書国定化(朴政権崩壊で実現しなかった）作業に関わった公務員25人を職権濫用などの容疑で検察に告発するよう、教育相に上申した。

教育相は言われたとおりにした。つまり、ただ辞めさせるだけではないのだ。

ともかく検察の取り調べを受けるだけでも、精神的に滅入るだろう。さらに裁判に臨むとなったら、金銭的にも大変な負担だ。

それが、主流勢力にいた保守派が払うべき「代価」ということなのだろうか。

しかし、歴史教科書の国定化方針を決めたのは朴槿恵政権であり、教育省の公務員ではない。課長級の公務員などは、命令に従い、事務作業に当たっただけだろう。「積弊清算」のスローガンに悪乗りした〝上司飛ばし〟もかなりあったに違いない。何とか職に留まれた上級公務員は、「去勢」されたのも同然の存在になる。

〝北朝鮮愛〟を育む教育

こうして、教育省と全教組（日本で言えば日教組）が一体となって、〝北朝鮮愛〟を育みつつ、人民共和国を目指す教育が始まったのだ。

朝鮮日報（18年3月6日）が18年3月の新学期から使う小学校6年生の社会教科書について、詳しく報じているので抜粋する。

▽教育省によると、昨年の教科書に213件の修正が加えられた。

▽1948年8月15日についての表現は、全て「大韓民国樹立」から「大韓民国政

府樹立」に改められた（筆者註＝北朝鮮は「国家」だが、南は「ただの政府」に過ぎないという意味が込められている）。

▽「北朝鮮は依然として朝鮮半島の平和と安全保障を脅かしている」という文章が削除された。

▽朴正熙（パク・チョンヒ）政権については、「維新体制」「維新憲法に伴う統治」が「維新独裁」に改められ、セマウル（農村改革）運動関連の写真は取り除かれた。

▽「日本軍慰安婦」という用語が登場し、写真と共に「植民地韓国の女性だけでなく、日帝が占領した地域の女性たちまで強制的に日本軍慰安婦として連れていき、ひどい苦痛を与えた」との説明が付けられた。

記事には全教組の論評も載っている。その要旨は「歴史的誤りや偏向、不適切な表現がかなり修正・補完されたが、残念な部分は残っている。『自由民主主義』という表現は整理されなければならない」というものだった。

教育省は18年6月、「新教育課程の改正案」を発表した。日本で言えば検定基準の大原則を示すものだ。「案」と言っても審議があるわけではなく、公示期間を過ぎれば自動確定する。

改正案の最大眼目は、すべての「自由民主主義」との表現から「自由」を削除して、「民主主義」にすることだ。全教組の要求は実現したわけだ。

そして「朝鮮半島唯一の合法政府」という表現も削除する。

「韓国の正統性を損ない、自由民主主義の価値をそごうとする勢力が、執拗かつ緻密に教科書を変えようとしている」（朝鮮日報18年6月22日社説）と言うよりも、「人民民主主義」採用への公式助走が始まったのだ。

18年9月には、朴槿恵政権の教科書国定化政策に反対して教育省を退職していた人物が、教育省次官に任命され復職した。

もはや全教組にとって恐ろしいものはなくなった。

「NOアベ」を表示した〝反日バッジ〟を生徒に配る中高校も出現するわけだ。

暴治の国

18年11月22日の午後のことだ。忠清南道牙山(アサン)市にある自動車部品メーカー柳成企業(ユソンキオップ)で、民主労総所属の組合員40～50人が代表取締役室の扉を壊して侵入、このうち10人ほどが労務担当常務取締役を監禁し、1時間にわたり集団暴行を加える事件があった。

中央日報（18年11月28日）の記事を手短にまとめる。

「口にできない暴言を吐き、顔を殴り、足で蹴った」

「会社側が6回の出動要請をすると、警官約20人が出動した。しかし常務が病院に運ばれるまでの約40分間、警官はただ傍観していた。常務は鼻骨陥没・歯の破折など全治12週の重傷を負った」

「警察は『組合員40人余りが現場を封鎖したため入れなかった。助けを求める声もスローガンを叫ぶ騒音のため聞こえなかった』と弁解を並べた」

文在寅政権は、過去の政権下で起きた警察の公権力行使（ほとんどが暴力デモの鎮圧行為）を次々と「積弊」に認定した。そして現場幹部を相次いで処罰した。

それとは別に、民主労総の暴力行為を取り締まったところ、逆に暴行を受けたと訴えられ、損害賠償の判決を受け、退職に追い込まれた警察官が何人もいる。

柳成企業のリンチ事件では、引き揚げていく労組員が警官に向かって「わが身がかわいくて何もできまい」と嘲笑したという。

文在寅政権は、民主労総に限らず左翼の暴力デモや違法行為に対しては「傍観するだけの警察」でいるよう飼いならしたのだ。

もはや韓国とは「法治国家としての体をなしていない」どころか、政権が〝暴力団〟を飼っている「暴治の国」なのだ。

19年10月に発生した従北派の男女学生による米大使公邸乱入事件の時も、韓国の警察は、ハシゴを持った集団が公邸の裏側に回るのを傍観した。彼らが、塀にハシゴを掛け、公邸に侵入を始めても傍観を続けた。

警察の弁解には爆笑する。

「ハシゴに手を掛けて、彼らが落ちてケガでもしたら大変だから」

「女子学生の身体に触れると、セクハラ問題になるから」

笑えない前段がある。大統領府の統一外交安保特別補佐官（閣僚級）である文正仁（ムン・ジョンイン）が、これに先立ち高麗大学で講演し、「米国の（反北朝鮮）政策を変えるには、米国大使館にデモを掛けるしかない」とアジっていたことだ。

彼は外交政策に関する限り、「文在寅の分身」と言われている。韓国の政治部記者たちは、文正仁の発言を「文在寅の近未来発言」「文在寅が公式の場で言えない本音」と見ている。

大統領の最側近の１人である閣僚級の人物が、同盟国の公館へのデモをアジるだけでも〝普通の法治国家〟ではあり得ないことだ。

韓国のマルクス主義政権は、発足当初は隠していた反米志向をますます公然化させているのだ。

永遠の左翼政権へ

警察は18年６月の統一地方選挙で活躍した。

慶尚南道警察庁は、蔚山市長選に露骨に干渉した。自由韓国党（朴槿恵政権の与党だったセヌリ党の系譜を引く野党）が現職の公認を決めるや、その日のうちに「側近に不正がある」として蔚山市庁に押収捜査に入った。

そして市長の弟や側近ら３人を弁護士法違反などの容疑で送検した。現職は落選した。当選したのは、文在寅氏のかねてからの「お友達」で、前回市長選では「赤いタマネギ男」こと曺国が後援会長を務めていた。

選挙後ほどなく検察は３人に「嫌疑なし」の判断を下した。この件は19年になって「大統領府の市長選挙介入」スキャンダルとして燃え上がり、検察が捜査に乗り出した。

すると、上級職の検事22人が一斉左遷（保守系紙の表現を借りれば「検察大虐殺」）されたのだ。

やはり自由韓国党が昌原市長選の候補者を決めるや、慶尚南道警察庁はその直後に「その候補者は、公的団体の不正採用にかかわった容疑があり捜査中」と発表した。

怒った自由韓国党が警察を「狂犬」と非難するや、警察は「狂犬発言への抗議だ」と称して、野党非難のポスターを交番など警察施設に掲示した。

19年11月、天安（チョナン）の警察は、誰でも通行可能な大学のキャンパスに入り、大学の建物の壁面に政権批判のパロディーポスターを張った若者を、大学が被害届を出したわけでもないのに「建造物不法侵入」の容疑で起訴した。検察は警察の言う通り処理し、裁判所は即決裁判で若者に有罪判決を下した。

「強権大統領制国家」の司直は、大統領の意向を忖度（そんたく）して、政権批判のポスター掲示を取り締まることにしたと見るほかない。

この事件に関してもそうだったが、韓国の保守系マスコミは19年半ばあたりから「軍事独裁政権の下でもなかったこと」といった表現をしばしば使うようになった。

文政権のやり口は、軍事独裁政権よりもひどいということだ。

20年3月には、反政権のビラを持っていた女性（58）を警官2人が押し倒し、後ろ手に手錠をはめて連行する騒動があった。警察は身分証明書の提示を求めたが、女性が応じなかったので「適法」としているが、まさに「軍事独裁政権下でもなかったこと」だ。

韓国政府の構造は、「日帝時代からの引継ぎ」や「戦後の日本からのパクリ」がやたら多い。

国民年金制度があり、国民年金公団がその管理に当たるのも、日本と同じだ。国民年金公団は年金資金の運用のため、大手企業の株式を保有している。文在寅政権は、国民年金公団が持つ株主権に手を付けた（以前の政権は、株式を保有するだけで、株主権は行使しなかった）。

企業に対して、「労組代表」や「市民代表」を取締役（韓国では登記理事という）に選任するよう、株主として要求するようになったのだ。

国民年金機構の1企業に対する持ち株比率は多くても10％の水準だから拒否は可能だ。しかし、いくつかの大手企業は受け入れた。

前政権下では20万~30万人程度とされた民主労総は、いまや100万人超に膨らんでいる。突撃隊の暴力が財閥の壁を打ち破り、韓国企業が次々と「労組管理」になっていくのも時間の問題と見るべきかもしれない。

文在寅政権の人民共和国への歩みは、「保守派壊滅作戦」とセットだ。保守派政権を再来させない仕掛けづくりとも言える。

20年4月の国会議員選挙での与党圧勝は、文在寅政権に「人民共和国」への行進許可を与えたといえる。

コロナ禍が完全に沈静化し、「赤いタマネギ女」問題が一段落すれば、その動きは顕現化するだろう。「コロナ被害の救済」を名目にした一部の大手企業国有化が、目に見える「始まり」となるかもしれない。

第２章　デマ情報があふれる国

デマとサイバー攻撃は国技

韓国人はかつて、「情報政治」という言葉をよく使った。

情報政治とは「多数派の形成を目指してデマ情報を流布すること」とでも定義すればいいのだろう。

体制側も、在野勢力も飽きることなくデマ情報を流した。軍事政権下の体制側には、その専門集団がいた。悪名高き韓国中央情報部（ＫＣＩＡ）だ。

いま、韓国の若い世代は「情報政治」という言葉も知るまい。しかし、韓国はいまも多数派の形成を目指してデマ情報が乱舞する「情報政治の国」だ。

そこは、デマ情報の効果的流布も含めた情報操作により、大衆の心理を変える――つまり「情報心理戦」の場なのだ。

日本だってネットを見れば、デマ情報の洪水だ――という指摘も出るだろう。

しかし、日本と韓国は違う。

荒唐無稽な情報、とりわけ非科学的なデマ情報は、日本ではほとんど相手にされないまま自然消滅していく。

が、韓国では非科学的なデマ情報、荒唐無稽なデマ情報に接するや、即座に暴走する人々が少なくない。そうした暴走族が、またネットでデマ情報にドライブをかけて拡散することで、デマ情報は無限に拡大していく。

一昔前まで、情報伝達手段はマスコミとヒューミント（人対人）に限られていた。そこにネットが加わったことで、韓国の「情報政治」の状況は、昔より悪化した。「情報政治の国」にとって、ネットとはデマ情報の投入手段であるとともに、抗議や脅迫の文面を大量に送りつけるサイバーテロの手段でもある。

デマ情報に始まる韓国のサイバー攻撃とはどんなものなのか。

２００６年のサッカーW杯は、典型例だ。

韓国ースイス戦でスイスの2点目のゴールがオフサイドかどうか微妙だった。結果として韓国は0-2で敗れたのだが、韓国のネットに「試合終了から24時間以内に５００万人が国際サッカー連盟（ＦＩＦＡ）のオフィシャルサイトに抗議する文を掲載すれば再試合が可能」との書き込みが載った。

もちろんデマだ。ＦＩＦＡに、そんな規定はない。

ところが、これを信じた韓国人が、凄まじい勢いでＦＩＦＡの公式サイトに殺到した。ＦＩＦＡは韓国サーバーからのアクセスを遮断する措置を取るほかなかった。

これを報じた中央日報（06年6月26日）は「ＦＩＦＡに韓国は情報技術（ＩＴ）の強国との事実を知らせることには成功した」と書いている。呆れる国民性、呆れるマスコミだ。

韓国とは、恐ろしい〝ＩＴ強国〟なのだ。

14年のソチ冬季五輪の女子フィギュアスケートでは、ロシアのソトニコワが優勝し、金妍児（キム・ヨナ）は銀メダルに終わった。この時も、韓国は〝ＩＴ強国の恐ろしさ〟を誇示した。

これは直接的にはデマ情報ではなく〝国民的不満〟から始まった。いや、これも「金妍児の金メダルは確定している」とする事前のデマ情報に国民が酔っていたからなのかもしれない。

しかし、なぜロシアの大統領が標的にされたのかは、よく分からない。

朝鮮日報（14年2月22日）が、その時の詳細を伝えている。

「競技終了後、金妍児のファンと推定されるネットユーザーが、ロシアのウラジミール・プーチン大統領のフェイスブックに殺到し、韓国語や英語の悪口を混ぜつつ一方的な判定に抗議するコメントを書き込んでいる」

「21日午後4時の時点で、プーチン大統領のフェイスブックのカバー写真には

２２３０件余りのコメントが付いていた。コメントのほとんどは、金妍児が銀メダルだったことに抗議する内容だ」

「ある韓国人ネットユーザーは〝スターリンの墓から暴いてやりたい〟と書き込み、別のユーザーは英語で〝汚いロシア、汚い金〟と書き込んだ。また、ロシア語で〝プーチン、死にたくなければＩＳＵ（国際スケート連盟）に再訴しろ〟と書き込んだ韓国人ユーザーもいた」

プーチンのフェイスブックは当然キリル文字だろう。誰がそれを調べ出し、抗議先としてネットに提示したのだろうか。ＫＣＩＡの後継情報機関である国家情報院や、国軍サイバー司令部の心理戦団の中にいるロシア語専門要員に疑いの目が向けられるのは、その行動軌跡を辿れば当然すぎる。

「世界で最も影響力ある人物」

韓国紙に載った一つの芸能記事は、その国民性をよく表していると思えた。

「２ＮＥ１のＣＬ、世界で最も影響力ある人物で１位に」（中央日報、15年４月12日）

この新聞見出しを見て、何のことだか理解できる日本人は、どれほどいるだろうか。

私は何のことやら、さっぱり分からなかった。

ネットで調べてみて、「2NE1（トゥエニィワン）」が、韓国の女性ボーカルグループの名前であり、「CL」がリーダーのイ・チェリンの略称（李の韓国語発音はイだが、文字で示す場合は『Lee』とすることが普通）であることが、ようやく分かった。

それでも、その歌手がなぜ、「世界で最も影響力ある人物」なのかは分からない。

本文を読んで、米タイム誌が「世界で最も影響力ある100人」のオンライン投票を実施したところ、CLが6・5％の得票率を得て、ロシアのプーチン大統領と同率で1位になったというのだ。

プーチン大統領が登場するのだから、芸能人だけを対象にした人気投票ではないはずだが、3位は米歌手、レディー・ガガ（2・6％）。4位はカリブ海・バルバドス出身のR＆B歌手、リアーナ（1・9％）、5位には米歌手のテイラー・スウィフトと、英女優のエマ・ワトソン（1・8％）と芸能人ばかりだ。

軍事大国の指導者も、小国の歌手も同じ土俵に上げた〝お遊び企画〟なのだろうが、「CLは現在、米国でソロデビューを控えている」という記述を見てビックリした。

ネットだから、どこからでも、だれでも投票できるとはいえ、本拠地の米国で、まだソロデビューを果たしていない韓国人歌手が、芸能音痴の私すら知っているレディー・ガガの2・5倍もの票を得たというのだ。

もちろん、韓国事情に詳しい人なら、すぐに背後の動きが分かる。

ＣＬの所属するプロダクションが、ファンに向けて愛国心をくすぐる表現で「お願いします」のメールを打ったのだろう。受けた方は早速、「Ｆ５」キーを使って連続ヒット（投票）をした。ＣＬが上位を狙えるところに付けていることが知れわたるや、Ｋポップに関心のない韓国人まで……というところだろう。

かつてＰＳＹ（サイ）というオジサン歌手が、ユーチューブで十数億ヒットの記録を達成したのも、「Ｒａｉｎ（ピ）」という男性歌手が11年にタイム誌の同じ企画で1位になったのも、同じ手法と疑われる。

留意すべきは、そんな手法で1位になっても、多くの韓国人は気恥ずかしさも見せず素直に喜ぶ点だ。中央日報の記事も、まだ米国でソロデビューをしていないＣＬについて「世界的な人気を再確認した」と大嘘を書いている。

どんなラフ（ダーク）プレーをしても勝てばいいという韓国型スポーツマンシップと相通じる。

国家情報院の「心理戦団」

旭日旗に似たデザインのロゴマークを使っている外国企業には、同じ手法で抗議メールが打ち込まれる。

ネット投票勝利術とサイバーテロは、現代韓国の国技なのだ。

もちろん、韓国のサイバーテロの向かう先は、大分部が国内の〝標的〟だ。

最近では、文在寅政権の意に反するような判決を下した判事、あるいは大学の講義で親日的な内容を述べた教授などが標的にされた。

これらは標的のメールへの抗議文や脅迫文の送付にとどまらない。ネットの掲示板に、標的の顔写真や住所、家族の写真まで晒す(さら)のだから悪質だ。

19年7月から始まった日本製品不買運動では、ユニクロで買い物をする客の顔を撮影し〝親日派〟としてネットに晒すグループまで現れた。〝親日派＝非国民〟を徹底弾劾して、どこが悪い――左翼全体主義の論理だ。

先にちょっと触れたが、ＫＣＩＡの後身である国家情報院には、ネットでの情報工作を専門とする「心理戦団」という部門がある。国防相直属の国軍サイバー司令部にも、やはりネット情報を担当する「心理戦団」組織がある。

朝鮮日報（13年10月15日）によると、国情院の心理戦団は70人余に過ぎないが、彼らは民間の下請け集団を抱えている。下請け作業員の中では中国籍の朝鮮族の比率が高いとされる。国軍サイバー司令部は要員４００人のうち２００人が心理戦団という。

彼らの発信能力は凄まじい。

国情院は12年の大統領選挙の際、朴槿恵候補に有利な情報を発信した。その容疑で検察の捜査を受けた。

その捜査の中間段階まとめが東亜日報（13年10月24日）に載っている。抜粋を紹介しよう。

「国情院の心理戦団がツイッターに投稿したり、リツイートした内容は５万５６８９件。（この中には）国情院に雇用された外部協力者が作成した内容も含まれている可能性がある」

「国情院心理戦団のＳＮＳチーム員20人あまりが使っていたＩＤは３００」

体制側の心理戦部門が闇雲に情報を発信して、自ら「賛同」をクリックしたところで、大きな流れになるケースは、そうは多くないだろう。

逆に、反体制側のデマ情報でも、それが時機を得ていて、韓国人の琴線に痛く触れれば、そのデマ情報はどんどん膨らんでいく。まして発信元が有力マスコミなら、そのデマ情報は国家を揺るがす。

「科学と理性は力を失う」

典型例は２００８年の狂牛病（ＢＳＥ）騒動だ。

10年間続いた左翼政権（金大中、盧武鉉）の終焉で、左翼陣営は挫折感に苛まれ、反撃の機会を狙っていた。

　狂牛病に関する報道が日本でも韓国でも国民の不安感を高めていた。そうした中で、李明博（イ・ミョンバク）政権は、米国が韓米自由貿易協定（ＦＴＡ）の前提としていた「米国産牛肉の全面開放」を受け入れることを決定した。

　反発する世論が高まっている時に、地上波テレビＭＢＣ（文在寅政権下では、左翼が社内を完全掌握した）の人気番組「ＰＤ手帳」で、キャスターが「韓国人は遺伝子的に狂牛病にかかりやすい」と、科学的根拠がまったくないコメントを述べた。

　とたんに大ロウソクデモが発生した。初めは「米国産牛肉の輸入反対」「対米ＦＴ

A再交渉要求」だった。が、すぐに「李明博政権退陣」「大統領弾劾」へと要求は変質した。

これは、朴槿恵追い落としのロウソクデモの予行演習だったとも言えよう。

狂牛病デモから2年後、朝鮮日報（10年5月11、12日）が、当時のベビーカー部隊（子連れ主婦のデモ隊）の参加者にインタビューして、彼女たちをデモに駆り立てたネット情報を検証した。

「米国産牛肉を食べると脳に穴が開いて死ぬ」

「（牛の成分が使われている）生理用ナプキンや粉ミルク、キャンディーも危険」

こうした書き込みが、ある主婦をベビーカー部隊に参加させた。

この主婦を「アレ、おかしい」と気付かせたのは、母親の素朴な質問だった。

「お前はあれほど米国産カルビが好きで、たくさん食べていたのに、なぜ今ごろ」

韓国人はBSEの危険が大きいとされる牛の脊椎や脳ミソを生で食べる。

これらは、ややゲテモノに属するとしても、牛の頭や骨を煮込んだソルロンタンはポピュラーな外食メニューだ。それでいて、狂牛病の発病者はいない。

狂牛病デモの最中に、「戦警（戦闘警察、日本の機動隊）が女性デモ参加者を連行し強姦した」とネットに書き込み、デモを盛り上げた男性は、虚偽事実流布容疑で逮捕・起訴され、懲役10カ月、執行猶予2年を言い渡された。

これは「戦警が強姦」と、警察の名誉にかかわることだったから、警察も動いた。戦警を詐称してネットに書き込んだ男性、「デモ女性死亡の真相究明」と称したネット募金を横領した学生会のトップも、警察の厄介になった。が、これらは例外中の例外だ。

盧武鉉政権で閣僚まで務めた人物は「米国の狂牛病患者25万～65万人が認知症患者として隠蔽され、死亡した」とのデマ情報を振りまいた。が、警察は問題にもしなかった。

「韓国では、大きな事件や事故が発生すると厄介なうわさが幅を利かせ、科学と理性は力を失う」（朝鮮日報17年8月26日）とは、透徹した真実だ。

米軍の終末高高度防衛ミサイル（ＴＨＡＡＤ）の配備をめぐっては「Ｘバンドレーダーから出る電磁波が農作物を全滅させる」という、これまた科学とは無縁のデマ情報が投入され、世論は大炎上した。すぐに「農民団体」と称する集団がＴＨＡＡＤ搬入阻止のピケを張った。

そのピケ部隊のほとんどは農民ではない。よその地から来た遠征部隊だ。沖縄で米軍基地反対を叫ぶ人々に似ている。沖縄の場合は、韓国からの遠征組がかなりいるとされるが……。

「ＴＨＡＡＤ阻止」を叫んでピケを張り続ける韓国人は、どういう手段で日々の糧を稼いでいるのだろうか。

文在寅政権が、反米左翼の集まりである自称「市民団体」に、様々な名目で補助金・助成金を支払っていることは、韓国では公然の秘密だ。

慰安婦問題に関する韓国の対応を一手に引き受けてきた正義記憶連帯は、そうした「市民団体」の代表格だ。

文在寅政権の周辺に群がる「市民団体」とは、民主労総と同様に政権の突撃隊だ。文政権は彼らの利権を保障することが、左翼政権の永続化に直結すると読んでいる。だから「赤いタマネギ女」こと尹美香（ユン・ミヒャン）・前正義連代表を守るのだ。守らなければ政権周辺の「市民団体」が総崩れになるからだ。

「反日デマ」の坩堝

19年7月、日本はフッ化水素など特定3品目に関して対韓輸出管理強化策を発表した。途端に韓国では、日本製品の不買・不売運動が起きた。「日本旅行には行かない」というネットキャンペーンも、その一環だ。

詳しくは第7章で書くが、これも「情報政治」だ。

中央日報（19年7月24日）の「韓日関係が悪ければ韓国大統領の支持率が上がり、良ければ下がった」と題する記事は、興味深い過去事例を伝えている。

01年、金大中（キム・デジュン）大統領の時代のことだ。大統領の三男の汚職疑惑が浮上した。

当時、大統領府の秘書室長だった朴智元（パク・ジウォン）は「私が『ちょうど日本の歴史歪曲問題で世論も良くないから、民間で日本製品の不買運動を行ってみる』と提案」した。そう、朴智元自身が回顧したというのだ。

金大中は朴智元を叱りつけて、この提案は実現しなかった。

しかし、この回顧談は、韓国の政権とは、事あれば「民間で日本製品の不買運動」を起こせる能力があること、そして国民の目を逸らす手段として「反日」を利用してきた事実を明確に語っているのだ。

韓国の歴代政権は、日韓の間で紛争が起こるたびに「韓国では、反日世論がこんなに強くて……」といった感じの泣きを入れ、日本側の譲歩を引き出してきた。

そして国内に向かっては「勝った、勝った」と報告することで反日種族に「満足感」を与えてきたのだ。

が、「反日世論がこんなに強くて……」と、韓国政府高官が日本に訴える状況そのものが、実は「情報政治」の結果だった。つまり、体制サイドの心理戦部門による誘導的デマ情報の流布が反日世論の燃料だったのだ。

韓国では長年の反日教育の結果、素朴な反日感情が国民の間に充満している。無数の「反日デマ」が投入され燃え続けている坩堝が韓国とも言える。だから、うまい口実を付けて煽れば、すぐに爆発する。反日種族の狂宴が始まるのだ。

しかし時の政権も、時の野党陣営も、国内政治の面でも、対日外交の面でも、反日カードを切りすぎてきた。

韓国の反日世論は肥大化し、時の政権も次第にコントロールできなくなった。そうした事態は実は朴正煕政権の時代から起きていた。

政権も倒すデマ

朴槿恵政権は、ロウソクデモで倒壊した。

国民をロウソクデモに駆り立てるために、野党側(文在寅グループ)は、荒唐無稽のデマをネットに流し続けた。

最も活躍したのは民主党の代表だった秋美愛(チュ・ミエ)だった。

「朴大統領は美容に2000億ウォン以上を使ったという新たな事実が今日明らかになった」

「国民は仕事と希望を失っているのに、大統領はスキンケアと美容のためにさまざまな注射を受け、これに国民の血税を使っている」

秋美愛のアジ演説だ。

すぐに支持者がネットで情報を拡散した。

青瓦台には何百人かの職員がいる。警備陣や雇員を含めたら、どれほどになるのか。内部に診療所があるのは当然だ。そこでの予防接種ワクチンなどの注射購入費が年間2000万ウォンだったとのニュースが、その日の新聞に載っていた。

秋美愛が述べた「今日明らかになった」とは、このニュースのことを指すのだとして、能力がなくて誤読したのか、あるいは故意に誤読（捏造）したのか。

大統領一個人が２０００億ウォンもの税金を、自分の美容のために当てている――「韓国人は遺伝子的に狂牛病にかかりやすい」「Ｘバンドレーダーの電磁波が農作物を全滅させる」を凌駕する馬鹿げたデマだ。

が、現実は「馬鹿げたデマ」により、デモが盛り上がり、国民が動いた。これが韓国の民度であり「情報政治」なのだ。

秋美愛は15年に中東呼吸器症候群（ＭＥＲＳ）が流行した時には「国民は何も知らないまま息をひそめ、死んでいかねばならないのか」と悲壮感いっぱいにアジった。「左翼の巫女」のような存在だ。

秋美愛は曺国の後任法相に就くと、曺国疑惑も含めて大統領側近の不正を捜査していた上級職の検事22人を一斉に左遷した。この女性が高裁の判事をしていたのだから、韓国の司法とはスゴーいレベルにある。

「ロウソク病」作戦

私は「ロウソクデモ」と聞くと、韓国人はデモンストレーションとデモクラシーの区別がつかないのかと思う。同時に「ロウソク病」の話を思い出して吹き出してしまう。

ＫＣＩＡはかつて様々なデマ情報を創作し、マスコミ工作を展開した。その中で、私が効果のほどはさておき、「最高の傑作」と思うのが「ロウソク病」だ。

ロウソク病とはベトナムの風土病であり、これに罹ると男性器が、まるで火のついたロウソクが溶けていくように、次第しだいに縮んでいく――というのだ。

韓国軍のベトナム派兵が決まってから、ＫＣＩＡは、この情報を日本で流した。当時の日本の週刊誌に「ロウソク病ノイローゼ」の話が載っていたことを私は覚えている。

毎晩、サイズを測らなくては安心して眠れないというのだ。

ＫＣＩＡは「日本でも、ロウソク病の不安が高まっている」として、韓国に〝日本の情報〟として再上陸させた。

反日の国なのに、日本発の一般情報は、ほとんどが「客観事実」として国民に受け入れられるのが、これまた面白いところだ。

韓国のマスコミは、いまよりも信じられていなかった。そこでＫＣＩＡは「日本発の情報」に仕立てることで、信憑性を高めたのだ。

ベトナムに渡った韓国の軍属や兵士が、現地の女性に〝悪さ〟をすると、ベトコンが敵愾心（てきがいしん）を高める。だから「ロウソク病情報」を流すことにより、〝悪さ〟をさせないようにしようとの狙いがあった。

だが、現実は何万人ものライダイハンだ。ライダイハンとは、ベトナム戦争中に韓国人の父親とベトナム人の母親の間に産まれたものの、父親に逃げられてしまった混血児のことだ。

南北心理戦の主戦場だった東京

中央情報部―国家安全企画部―国家情報院と続いてきた韓国の情報当局は、「情報基地」としての東京を、伝統的に重視してきた。

ある情報を東京で流してから韓国に持ち込むことで信憑性を高められるという利点もあるが、そんなことよりも東京が「南北情報心理戦」の主戦場だったからだ。

ネットの時代しか知らない若い世代には想像もできないだろうが、20世紀後半まで海外との通信と言えば、ファクシミリと電話だった。日本―韓国間の通話は１９８０

年代前半まで、韓国政府が許可しなかったためファクシミリも使えなかった。

韓国の通信技術者は「ファクシミリが許可されないのは、ＫＣＩＡがまだ盗聴技術を開発していないからですよ」と真顔で語った。

電話も、電話局の交換手を呼び出して連結してもらう「申し込み通話」だった。回線数も少なかった。申し込んでから繋がるまで1時間以上かかることも珍しくなかった。

そうした時代、マスコミの海外取材体制も、今日とは比べ物にならないほど手薄だった。

欧米の有名な新聞は、東京には支局を置き、特派員を常駐させていても、ソウルに支局はなかった。ソウルは東京の守備範囲だった。

日本の大手マスコミはどこも韓国に支局を置いていた。そこで、日本のマスコミが伝える様々な韓国報道を東京で見て、「日本の報道によると……」といった形式の転電記事にしていたのだ。

いや、いまでもそれが多い。欧米の新聞社はどこも少部数であり、著名な新聞社でもソウル支局を維持する余裕がないからだ。

88年のソウル五輪を取材した時は、外国メディアの「ソウル支局長」の名刺を持った記者がたくさんいた。が、ほとんどは韓国人ストリンガー（契約記者）だった。そこら辺の事情はいまも変わっていないようだ。

ＡＰ、ロイター、ＡＦＰ、ＵＰＩ、当時の世界4大通信社は、いちおうソウルにも支局を構えていた。が、機構上は東京や香港の分局だった。

4大通信社も、ソウル支局にいる韓国人スタッフが当局の圧力に弱いことを心得ていたようで、しばしば日本のマスコミが伝える韓国報道の方を優先した。

１９８０年代前半、韓国の情報当局者から「世界に流れている朝鮮半島に関する報道の8割は東京発だ」と聞いた。だから情報当局としては、日本の特派員の取材動向を注視せざるを得ないという言い訳の中での話だった。

世界に流れる朝鮮半島に関する報道の8割は東京発なのだから、日本の報道を「韓国びいき」にさせるか「北朝鮮びいき」にさせるかで、世界中の朝鮮半島認識が変わるというわけだ。

そのために、彼らは小ずるいテクニックを使って、様々な情報工作をした。

ある時は、たいした記事でもないのに、わざと強く抗議して、「怒っている韓国」

を印象付ける。ある時は担当記者を徹底的に接待して「負担感」を植え付ける。親しくなった記者に特ダネを装ってデマ情報を掴ませる……などなど。

東京を舞台とする南北の情報心理戦は終戦の時点から1970年代中盤まで、北朝鮮が圧倒的優位だった。

『朝日新聞』は戦中必至になって聖戦完遂を説いていた。しかし戦後は、ほとんど素知らぬ顔で〝平和を説く左翼新聞〟に転身した（拙著『朝日新聞「戦時社説」を読む』毎日ワンズ、参照）。当時の日本のマスコミ界は戦前・戦中の反動で左翼全盛だった。

終戦直後の日本共産党は在日朝鮮人が主導権を握っていた。左翼新聞と、「総連・共産党ブロック」は息がピッタリあったのだろう。「北朝鮮＝地上の楽園」論が日本のマスコミを支配した。

当時の日本のマスコミ体質と、米国のバックアップで成り立っていた李承晩政権は相容れなかった。

李承晩の失脚後に成立した尹潽善（ユン・ボソン）政権は李王朝の両班（ヤンバン）政治のように無能だった。大混乱が続く中で成立したのが朴正煕政権だった。

北朝鮮が韓国を悪宣伝する必要もなかった。左翼体質の日本のマスコミ主流は

「クーデタによる軍事政権」を徹底的に嫌っていたからだ。

　そうした中で、日本の嫌韓（アンチ朴正熙政権）傾向をいっそう強めさせたのは、岩波書店の雑誌『世界』に連載された「韓国からの通信」だった。「苛酷な軍事独裁政権の下で、貧しさに呻吟する人民たち」といった韓国イメージを振りまいた。フェイク情報の代表作と言えよう。

「韓国からの通信」がそのまま信じられていく日本の状況に、韓国の情報当局は焦燥した。

　KCIAによる金大中拉致事件で、韓国の評判はさらに落ち込んだ。

　その時、韓国を救ったのは敵失だった。北朝鮮が対外債務の不履行を起こしたのだ。日本の親北派、例えば、当時の足利銀行頭取らは「国際商取引に慣れていないために起こした単純ミスだ」と、根拠不明の弁護をしたが、その後も不履行は続いた。

　朝鮮総連に属していて、親族訪問などで北に行って戻ってきた人物たちの告白も続いた。典型が『統一日報』（反北意識の強い在日韓国人グループが日本で刊行する新聞）の連載を圧縮した単行本『凍土の共和国』（1984年、亜紀書房）だった。

地上の楽園と昇竜の韓国──どちらも嘘だった

度重なる対外債務不履行で「地上の楽園」論は地に堕ちた。

そして韓国の反撃が始まった。

その戦術は、北に靡（なび）いていない日本人の学者や、評論家を招待して〝洗脳〟することだった。彼らが帰国後、日本の雑誌に書いたり、講演で述べたりする韓国論に期待したのだ。

それにしても〝洗脳〟とは言い過ぎでないかとの指摘も出るだろうが、私は適切だと思う。

1984年か85年だったと思う。

著名な日本人教授を、ソウルで案内することになった。時事通信社の本社から「教授がソウルに行くので、案内して接待するよう」命令がきたからだ。

教授は「韓国にはこれまでに十数回来ているが、私的な旅行は初めてだ」と言った。それまでの訪韓はすべて韓国政府や政府出資団体、あるいは財閥の招待だったのだ。

ソウル駅近くのホテルから、昼飯を予約した料亭（韓定食屋）まで、裏道を歩いた。直ぐに教授が驚きの声を挙げた。

「ソウルには、こんな貧民窟がまだあるのですか」

そこは、ソウルでは並みよりやや上の住宅地だった。教授はそれまで十数回の訪韓で、どんな町並みを見ていた、いや見させられていたのだろうか。

教授がまた声を出した。「あれは日本料理の店ですね。日本と言うのも嫌だから『日式料理』と言うのですね」

誰に吹き込まれたのだろうか。韓国では韓国料理のことを「韓式料理」あるいは「韓食」という。日本製は「日製」であり、米国製は「美製」(韓国語では米国のことを「美国」という)だ。

韓式料理を食べながら、教授が「……ではないの」式に聞かせてくれた「韓国軍の優秀さ」「韓国財閥の高度な判断力」「韓国人の勤勉さ」には、もう笑いを噛み殺すのに苦労した。

北朝鮮が日本からの招待者に、ピカピカのモデルコースだけ見せたのと同じ手法を、韓国も日本からの招待者にしていたのだ。

かくて、北朝鮮旅行から戻った日本の文化人が「地上の楽園」を語ったのと同様に、韓国の招待で３泊か４泊のモデルコース旅行をした日本の教授や評論家は「雑誌『世界』が書いているのと、現実の韓国はぜんぜん違う」と、〝昇竜のような国＝韓国〟を語ったのだ。

なぜ韓国経済は急速に発展したのか――日韓請求権協定により資金が流入し、日本企業が献身的に技術指導したからだとは、韓国人は決して言わない。

困った韓国人が考え出した説明が「韓国人の勤勉さ」だった。

「私たち韓国人は勤勉ですから」と、気恥ずかしさも見せずに言えるだけでも凄い。〝昇竜論者〟は言われたとおりに日本に紹介した。

犬が自分の尻尾を噛んで回る

私の知る限りで言えば、当時も今も、日本企業の韓国駐在員たちも、日本のマスコミの特派員も「韓国人は勤勉でない」「ろくに働かないのに賃上げだけ要求する連中だ」と思っている。

朴正熙政権下のセマウル運動（農村の生活基盤改善運動だったが、後に工場セマウルなどの名称で都市部にも広がった）が「勤勉」「協同」「自助」などを標語にしたのは、それとは逆の実態があったからだ。

それなのに、日本のマスコミは「韓国人の勤勉さ」を書きたてた。

しかし私がソウル特派員だった5年間、日本の新聞社・通信社のソウル特派員が「韓国人の勤勉さ」を称えるような記事を書いた事例を思い出せない。

大体は企画取材や政治家の同行取材で2、3日、滞在して帰った記者が「韓国人の勤勉さ」を書いた。彼らの脳裏には、韓国出張を前に読んだ〝昇竜論者〟の論文が刻み込まれていたのだろう。月刊誌も週刊誌もそれに引っ張られた。

韓国からすれば、北に靡いていない日本の学者や評論家をアゴ足付きで招待して〝洗脳〟した「対日情報心理戦」の効果が現れたのだ。

『文藝春秋』などに載った韓国経済絶賛論文は、必ずと言っていいほど、韓国紙に紹介された。

「日本の著名な経済学者である○○氏は、最近の韓国経済について……」といった書き出しで。

韓国の体制派経済学者や官庁エコノミストが韓国の新聞に論文を載せても、「情報政治」の中で生きてきた人々は信じない。しかし体制派経済学者や官庁エコノミストが日本人に聞かせ、その日本人が「日本の権威ある月刊誌」に〝受け売り〟の文面を載せ、その要約を韓国紙が伝えれば、その内容を信じる韓国人の比率は高まる。

第2段階では、韓国の経済学者や官庁エコノミストが、実は自分の言葉なのに「日本の権威ある経済学者○○氏も述べているように……」と書く。

犬が自分の尻尾を噛んで回っている姿を思い出してしまうが、それにより、韓国人は「わが国は優れた国なのだ」との自信を深めた。対日情報心理戦の副次効果だ。

私が思うには、「北朝鮮＝地上の楽園」論者も、「韓国＝昇竜の国」論者も、情報心理戦で釣り上げられ、利用された人々だ。

後者の人々は「ポニー（現代自動車の小型セダン）が世界を制覇する」とか「韓国は高級公務員の汚職がない国だ」とか、吹き出したくなる説を述べて回った。通産省にも、そんな説の虜になっている若手官僚がいた。

韓国芸人のヘイト

そうするうちに88年ソウル五輪が開かれた。

韓国政府は、本当の貧民窟が高速道路から見えないよう、信じられないほど巨大な看板を立てるなど、「外華内貧」の国ならではの小細工を尽くした。マラソンコースに面したマンションはすべてのベランダに花を飾るようにとの命令も出した。

日本のテレビの映像は、ほとんど「外華」の部分だけを流した。「情報基地・東京」で、北朝鮮勢力が長年かけて築き上げてきた「貧しい民が呻吟する国」という韓国イメージは一瞬にして崩壊した。

逆に北朝鮮は「世界最貧国の一つ」というイメージが固定した。

東京を舞台とした南北情報心理戦は、韓国の圧倒的勝利となった。

しかし、韓国による対日情報心理戦は終わらなかった。いまも続いている。韓国に対して好意的な認識を持つ日本人を増やすことが、日本政府の対韓政策を軟弱化させるし、韓国製品の対日輸出にも絶対的に有利に働くと判断しているからだ。

韓国に対して好意的な認識を持つ日本人を増やすことを目的とする対日情報心理戦が、第3章で述べる「韓流」という国家プロジェクトだ。

ただし、韓国の対日情報心理戦は韓流だけではない。何でもいいから、ともかく日本を貶める情報を第三国で拡散する「ディスカウント・ジャパン運動」も、情報心理戦だ。

日本の「嫌韓」世論拡大を阻止することも、対日情報心理戦の重大課題になっている。

ディスカウント・ジャパン運動の主たる担い手はVANKという組織だ。「民間のボランティア団体」と称しているが、機能としては国情院の別動隊と言える。海外向けのサイバーテロを得意技としている組織だ。20年1月には、防護服を着た聖火ランナーの図柄のポスターを作り、「東京五輪＝放射能五輪」という悪宣伝をした団体だ。

VANKにも政府補助金が出ているし、農産物などの政府広報を一部引き受け、事業費を配分されている。

VANKについては『韓国は裏切る』（新潮新書）に詳しく書いたので参照にされたい。

韓国人はしばしば海外で悪さをしては、日本人を詐称する。様々な反日デマ情報が投入され続けた〝反日の坩堝〟からは、そうした詐称が自然に出てくるのだろう。VANKがディスカウント・ジャパン運動をしていることも、拍車をかけているはずだ。

韓国のテレビでは、お笑い芸人が「悪いことをしたときは『私は日本人』と言いましょう」とやって大喝采を浴びた。

お笑い芸人の話はヘイトどころではない。しかし、何ら問題にもされない。そういう民度の国だ。

海外で韓国人が悪さをして日本人を詐称した事例は枚挙に暇がない。

ヨーロッパで自然保護地域を荒らして注意されると「私は日本人です」、東南アジアのホテルで酔って大暴れして「われわれは日本人だ。何か文句があるのか」と言う。酔漢だけでなく外交官夫人まで、台北で交通違反で摘発された際に日本人を詐称した。

最近では19年7月、カンボジアで覚醒剤所持により逮捕された韓国人が「私は日本人」と名乗った。カンボジアのマスコミは「日本人を逮捕」と報じたまま、訂正していないというから、この犯人は「ディスカウント・ジャパン運動」の功労者だ。

私は、日本国政府が「国籍詐称者を厳罰に処する国際条約」を提唱すべきだと思う。成立しなくても構わない。

諸外国は「なぜ日本はそんな条約を提唱したのか」と考えてくれる。そして「あぁ、韓国人のせいだ」と気付くだろう。

第3章　韓流愚民の裏メカニズム

韓流は国家政策

韓流とは韓国の国家政策であり、韓国政府の膨大な予算が注ぎ込まれている。

こうした事実は、かつてジャーナリストの木村太郎がフジテレビの番組で力説したことがある。しかし、いつのまにか韓流と言えばKポップであり、韓国の屋台菓子とばかりに軽薄に流れ、「韓流＝韓国の国家政策」という事実は、日本ではほとんど語られなくなってしまった。

「韓流の本質」をごまかしたという点で、これは韓国の対日情報心理戦の勝利と言える。

木村太郎は、当時のフジテレビの親韓路線に圧(お)されたのだろうか。この件に関しては、すっかり口を噤(つぐ)んでしまったようだから、私が引き継ぐ。

韓国政府の韓流に対する基本認識は「韓国という国家ブランドを高めるための政策」といったところだ。

簡単に言えば、韓国に関する基本的な理解を棚上げにして、テレビドラマや歌や映画、あるいは屋台型店舗が供する安物食品で「韓国のことが好きだ」「韓国に親しみを感じる」という外国人を増やすことを目的にした国家プロジェクトが韓流だ。

本質的に「対外愚民化政策」と言える。スターリンの言葉を借りれば、外国に「役立つバカ」を量産することだ。

東京を主舞台にした南北情報心理戦は、南の圧倒的勝利に終わった。それを機に、韓国の対日情報心理戦の基本戦略は、「東京で北に対抗し、北を打ち負かす」ことから、「日本人一般の韓国に対する好感度を上げる」方向に徐々に切り替わっていった。

やがて広い意味での韓流（Kポップ、映画、テレビドラマ、韓国料理などなど）が対日に限らず、世界中を対象にした韓国の情報心理戦の主要な部分になり、今日に至っている。

中国がスパイ情報拠点である「孔子学院」を世界各地にオープンさせているように、韓国も主要国に「韓国文化院」を展開している。韓流発信の指揮所・拠点という位置付けだ。

韓国が初めて韓国文化院をオープンしたのは1979年5月、場所は東京だった。前章で述べた通り、韓国の情報当局は「情報拠点としての東京」を最重視していたからだ。

しかし、1979年とは朴正煕政権の末期だ。オイルショックの影響で中小企業の倒産が増加した。その2年前の77年に付加価値税が導入され、庶民生活は苦しかった。79年10月には釜山・馬山暴動が勃発した。

暴動の背後には、深刻な経済状況があった。それが朴正熙大統領射殺事件に繋がっていく。

経済状況としては、対外債務の返済比率の高さが問題で、韓国は当時、国際通貨基金（ＩＭＦ）から融資を受けた。ところが、官庁エコノミストは、こう説明した。

「韓国の信用力は、ＩＭＦから金を借りられるほど高くなったのだ」と。

時事通信社のソウル特派員として赴任して間もない頃だった。知り合いになった韓国の愛国老人が「韓国はＩＭＦから、とても安い金利で金を借りられるのです。日本はＩＭＦから借りられますか」と言った。

頭がクラクラする思いがした。当局の「情報政治」「対内情報心理戦」は素晴らしい効果を上げていたのだ。

そんな時に、東京の韓国文化院は、テナント料が当時べらぼうに高かった池袋のサンシャイン・シティにオープンした。

そこに日本人を招いては「ドヤ顔」をして悦（えつ）に入（い）ったのだ。「情報基地としての東京」を最重視している証拠とも言えるが、「外華内貧」の極みだとも思う。

外華内貧のための嘘

「外華内貧」とは、朝鮮民族が創作した数少ない四字熟語の一つだ。意味は読んで字の如し。

「ボロは着てても心は錦」と水前寺清子が歌っていたが、この歌詞の心意気とは全く逆の国民性が「外華内貧」だ。

何よりも見てくれを重視する。だから女も男も美容整形に走る。

日本には、金がなくて結婚式を挙げられなかったという老夫婦が少なくない。「あの頃は金がなかったから」と恥じることなく話してくれる。

しかし韓国には、豪華な結婚式を挙げる金がないという理由で、結婚しない若者がたくさんいる。簡単に言えば、見栄っ張りなのだ。

私の体験からすると、韓国人が日常生活で吐く嘘は、見栄から発するものが圧倒的に多い。嘘がバレそうになると、言い訳の嘘を重ね、最後は論点をすり替えて怒り出す。

韓国人は論争でやられっぱなしになると、やはり論点をすり替えて猛然と反撃に出てくる。

こうした行動パターンは個人に限らない。政府でもそうだ。第5章で詳しく述べるが、レーダー照射事件で韓国が見せたのは、まさにこの行動パターンだった。

実はこれも「外華内貧」の性癖による部分が大きい。やられっぱなしではなかったと、第三者に言えるように——つまり見栄のための反論なのだ。

中身を充実させることで、外部の評価は自然に高まる——日本人の多くは、そう考えているだろう。

しかし韓国人は、中身はそのままでもいいから、宣伝によって評価を高めて売りさばこうと力を入れる。やや古い数字だが、12年のサムスン電子の広告費比率（対売上高）が、アップルの10倍だった（ダイヤモンド・オンライン13年8月12日）のは、その一例だ。

「詐欺商法」という言葉が頭に浮かんできてしまう。

韓流と称する国家プロジェクトもまた、中身より宣伝だ。宣伝することにより、中身はそのままでも「韓国というブランド」を高めたい。韓流もまた「外華内貧」の国民性に由来する部分が大きいのだ。

韓流関連予算

韓国のマスコミを見ていれば、「ロンドンで韓流ブーム」「パリでも韓流ブーム」「アメリカで韓食（韓国料理のことで、韓流の一部門になっている）ブーム」……もう世界中が韓流ブームだ。

純朴な韓国人は、そうだと信じている。つまり、世界中が「韓国のことをよく知っていて、韓国に対して好意を持っている」と。

国家として海外に韓流を売り込むのは対外情報心理戦だ。海外の状況を、大いに膨らませて打ち返し報道することは、国民の自負心を高める対内情報心理戦といえる。日本の学者を釣り上げるまでは対外情報心理戦。釣り上げた日本人の発言を脚色して韓国民に伝えるのは対内情報心理戦であるのと同じことだ。

２００９年には大統領直属の機関として国家ブランド委員会が設立された。

この委員会は「国家ブランドを高めるため、基本計画を作成し、各省庁にまたがる関連予算を効率的に調整する」と説明されていた。

韓国に対する外国人の好感度を高めるため、韓流はもちろんのこと、利用できる政策資源を効率的に投入していく――そのための司令塔が国家ブランド委員会というわけだ。

ブランド委員会は対外援助にまで関与していたようだ。当時のブランド委員長は「開発途上国に対する援助を増やす計画だ。援助が増えるほど国際社会で良いイメージが得られる」（中央日報10年1月12日）と述べている。

貧しい開発途上国の国民生活を改善するといった視点はまったく感じ取れない。「外国人の韓国に対するイメージ」しかない。

同委員長は「韓国国内にいる外国人留学生らを、該当国家に韓国のことを知らせるブロガーとして活用するつもりだ」（朝鮮日報10年6月1日）とも述べている。いかにも韓国人らしい発想に思える。相手をまず「活用（利用）対象」として捉えるのが、韓国人の対人関係の原点だからだ。

韓国で語られる「用日論」の多くも、対象をまず「活用（利用）対象」として捉える一般的思考が背後にある（ただし、「親日派」攻撃を避けるために、意識的に「用日の利点」を持ち出している論者も中にはいるようだ）。

用日を上手く機能させるためには、「韓国に好意的な日本人」を大量に作り出さなければならない。そのために効果的な対日情報心理戦が韓流の推進というわけだ。

韓国政府の韓流関連予算は、文化体育観光省、農林畜産食品省、教育省・文化財庁、産業通商資源省、外交省など多くの省庁にわたる。予算項目上の分類はほとんどが「韓流」とはなっていないから、総額の把握は難しい。

しかしヒントはある。朴槿恵大統領は13年11月の施政演説で、韓流および関連の文化産業発展を盛り立てるため、政府予算の１・５％を投じると述べた。１・５％とは、およそ5兆ウォンだった。20年の当初予算規模なら6兆ウォン超だ。

こうした政府補助金が流れ込むから、例えば映画は制作費の平均３割にも当たる金額が宣伝費に注ぎ込まれる。

制作に金をかけるより宣伝に資金を投じた方が効果がある――まさしく韓国人の発想だ。

文化体育観光省は、産業通商資源省や農林畜産食品省とは比べ物にならないほど小さな部署だ。それでも11年には２５００億ウォンの韓流予算を執行した。

李明博政権当時の文化体育観光相は、13年には５０００億ウォンの韓流予算を確保すると表明した（聯合ニュース・韓国語サイト12年7月9日）。

文在寅政権は、李明博、朴槿恵政権の施策を「原則否定」している。しかし、韓流に関しては、「韓食（韓国料理）の世界化」をほぼ断念したという以外に否定的報道はない。

凄まじい額の国家予算が、いまも韓流の推進のために注ぎ込まれていることは間違いない。

韓国との間にどんな懸案があるのか、韓国とは本当はどんな国なのか、韓国人とはどんな対日感情を持っているのか……そんなことは一切考えさせずに、「あの歌手は格好いいから」「あの食べ物は美味しいから」といったことだけで親韓派を増やすというのだ。まさしく韓流とは対外愚民化政策なのだ。

それに釣り上げられた親韓派とは「韓流愚民」と呼ぶほかない。

韓流ブームを垂れ流した聯合ニュース

韓国のトップ通信社である「聯合ニュース」は、株式の支配構造からすると、既に明らかな「国営通信社」だが、彼らは「国家基幹通信社」と名乗る。報道姿勢の面で

「国営通信社」にはなりたくないという意地があったのだろう。

が、その聯合ニュースもいまや、新華社（中国）か朝鮮中央通信（北朝鮮）並みの「純国営通信社」に変貌しようとしている。文在寅政権の「共産主義的言論政策」が、その背景にある。

日本では、ほとんど「笑い話」としてしか報じられなかったことだが、聯合ニュースの子会社である聯合テレビ（ニュース専門のケーブルテレビ局）が、文在寅大統領の顔写真の下に北朝鮮国旗を配した映像を流したことがある（19年4月10日）。

文大統領の訪米を前にしたニュースで、ホワイトハウスをバックに、文大統領とトランプ米大統領が並んでいる合成映像だ。

トランプの下には星条旗、文の下には北朝鮮国旗。

思わず「なるほど」と膝を打つ映像だが、これは映像編集過程でのケアレスミスだろう。聯合テレビに、そんな「確信犯」がいるとは信じられない。

が、すぐに韓国の新しい国技「青瓦台への国民請願＝ネットでの人民裁判」が始まった。

「聯合テレビ、その親会社である聯合ニュースを許すな」「聯合ニュースに対する国家補助金を廃止しろ」

賛同クリックを押すのが、文在寅支持派であることは明らかだ。国家情報院や国軍サイバー司令部の心理戦団もクリックに精を出したのだろう。

たちまち「大統領府が見解を示さなければならないクリック数（1カ月以内に20万）」を超えた。

そして大統領府が見解を示した。「聯合ニュースに対する補助金を慎重に検討する」と。

韓国政府からの聯合ニュースに対する支払い（ニュース購読料）は年300億ウォン程度とされる。わずかな額だが、通信社は新聞社と違って、紙代はないし、広告料金もネットのバナーぐらいだから所帯枠が小さい。政府支出が途絶えたら、たちまち干上がってしまう。

そんなことは、政権側もよく承知している。国営通信社の機能的利用価値も分かっている。大統領府の見解は「聯合ニュースよ、国営通信社らしくなれ」「聯合ニュースよ、もっと左に寄れ」という意味だ。

聯合ニュースは19年5月前半、東京の韓国文化院の開設40周年にことよせて、「これでもか」と言うほど、日本の韓流ブームに関する記事を垂れ流した。

日本語サイトに載った記事だけでも、以下の通りだ。

「東京・韓国文化院が開院40周年」（5月9日）

「日本の新韓流ブームに驚き　駐日韓国文化院の黄星雲院長」（10日）

「日本に巻き起こる新韓流ブーム　10～20代が主導」（13日）

「グルメが火を付けた日本の新韓流」（15日）

日本中が韓流ブームで沸きかえっているかのような印象を受ける。

韓国文化院は文化観光体育省の海外部門だ。同省こそ、国営通信社の直接の監督官庁だ。大ゴマを擂（す）ったと見る他ない。

毎日経済新聞（10日）には「日本文化庁の宮田亮平長官〝韓国は日本にとって兄か姉のような存在〟」という聯合ニュースの配信記事が載っていた。

宮田長官が韓国文化院に出向いて、韓流を絶賛したというのだ。この記事が聯合ニュースの日本語サイトにアップされなかったのは何故だろう。〝親韓派長官〟をネトウヨの攻撃に曝してはならないとでも配慮したのだろうか。

そういえば、朝日新聞の社長だった木村伊量（ただかず）も在職当時の14年10月、日韓言論人フォーラムに出席した韓国人記者たちに「朝鮮半島の影響なしには日本の文化が豊かにならなかったと考える。そのような面で、韓国は日本の兄のようだ」と語った（中央日報、14年10月20日）。

「韓国は日本にとって兄のような国」とは、高齢の親韓派に共通する意識なのだろうか。日教組による戦後教育の産物だ。ともかく今では歴史好きの高校生からも嘲笑される歴史観に基づく意識だ。

韓国文化の押し売りは政府主導

聯合の一連の記事の中には、私が「なんと正直に書いているのだろう」と感心した部分もあった。

19年5月9日の記事だ。

「政府主導のこのような文化交流政策は1990年代後半になってから韓流という名で実を結び始め……」とする部分だ。韓流とは韓国政府が主導しているのだ。そう、国営通信社が述べているのだ。

韓国の政府やメディアが言う「文化交流」とは、実態としては「文化の押し付け・

押し売り」だ。彼らが言う「経済協力」がギブ&テイクではなく、「韓国が貰うだけ」であるように、狙いを綺麗事に化けさせる〝欺術用語〟だ。

正しく書けば「政府主導のこのような韓国文化の押し付け・押し売り政策は1990年代後半になってから韓流という名で……」ということだ。

きっと「1998年の日韓共同宣言で韓国は日本文化の開放を進めていくと約束している。韓国だけが文化を押しつけているわけではない」と指摘する人がいるだろう。

しかし現実は、「KBS（韓国放送公社）審議部は日本語歌詞が含まれた曲を『不適格』処理（注＝放送禁止のこと）する」「わが国の歌でも、歌詞に日本語式表現があればKBSの電波に乗ることはできない。…韓国・SBSとMBCも同じだ」（国民日報17年5月20日）。

共同宣言から20年以上も経ったのに、この状況はいまも続いている。

政権は約束した。しかし、個々のテレビ局には内規があり……というのだ。

政権は「慰安婦合意」をした。しかし、日本大使館前の慰安婦像は民間団体が立てたものだから……と言うのと似ている。

国内では、そんな措置を続けながら、原爆Tシャツを着たBTS（防弾少年団）の日本でのテレビ出演がキャンセルになるや、韓国マスコミはどう報じたのか。
「日本メディアの難癖で、Mステ出演が突然見送りに」（中央日報18年11月9日）
「偏狭な日本のテレビ局」（朝鮮日報18年11月11日）
「なぜBTSがスケープゴートにならなければならないのか」（中央日報18年11月12日）
BTSは、日本人の感情をいたく傷つけた加害者なのに、瞬時にして日本のテレビ局から不当な扱いを受けた被害者にすり替わっている。被害者コスプレは韓国の国技のようなものだ。

朝日よ、黒糖、タピオカ、ミルクティーは韓流か?

文在寅大統領は19年6月末、大阪で開かれた20カ国・地域首脳会議（G20）に出席した際、関西圏の在日韓国人との懇親会を開いた。彼は、そこでの挨拶の中で「日本はいま、第3次韓流ブームで沸いている」との認識を述べた。

日本は本当に韓流ブームなのか。いや、聯合ニュースを読んでいたら間違いなくそう思う。「日本社会は、若い世代を中心とする韓流ブームで沸き返っている」はずなのだ。

朝日新聞は、聯合ニュースの「韓流ブーム報道」に煽られたのかもしれない。19年6月、「韓流、SNS世代が『第3の波』」（4日）、「第3次韓流ブーム、なぜハマる?」（6日）と立て続けに、有料記事をネットにアップした。

日本は本当に、SNS世代を中心にした韓流ブームなのだろうか。

その検証はさておくとして、朝日の記事には笑ってしまう。

4日の記事に、こんな一節がある。

――明洞（ミョンドン）（筆者注＝ソウルの古くからの繁華街）で「黒糖タピオカミルクティー」で有名なカフェで並んでいた愛知県の○○さん（20）は、両親を誘って1泊2日で韓国に来た。「韓国はインスタ映えするおいしいものがたくさんあって、学生のこづかいで買えるかわいい服があるイメージです」――

黒糖、タピオカ、ミルクティー……どこに「韓国」があるのか。台湾の創作茶、いわゆる「貢茶（ゴンチャ）」の店だろう。貢茶のチェーン店なら日本にもある。

貢茶の大手チェーンの台湾本社は、韓国資本に買収されたそうだ。しかし、タピオカを混ぜ込んだ創作飲料は、あくまでも台湾発祥の食文化だ。

それなのに、わざわざソウルまで行って、台湾の創作茶を並んで飲み、韓国を褒めたたえる日本の若い女性が「第3次韓流ブーム」の担い手代表として、朝日新聞に出てくる。これがどうして笑わずにおられようか。

毎日新聞も負けていない。

「日韓政治対立と韓国ブーム」（19年7月20日）という見出しの記事だ。

「日本の若者の間では空前の韓国ブームが起きているという。なにが起きているのか。取材を進めると、両国の新しい関係が見えてきた」と、記事は始まる。

取材スタートの時点で、記者は「ブームが起きている」と聞いてはいるものの、自分ではブームであるとの認識を持っていなかったことが分かる。

しかし新大久保に行ってみると、街は若者でいっぱい。驚きながら、インタビュー取材をしてまとめたルポ記事だ。

そこにいた若者たちが日韓関係にほとんど関心をもっていないことにも触れている。政治とは関係なく、若い世代に親韓派が多いことは好ましいことだと言いたいらしい。

しかし東京の1スポットに特定の嗜好を持つ人々が満ちていたからといって「ブーム」と言えるのだろうか。

多摩川競艇場に行ってみた。平日の昼間なのに、ファンでいっぱいだった。であるから「日本中が競艇ブームで沸いている」――とするのと同じ次元ではあるまいか。「ブーム」でないのに「ブームだ」と報じることは、フェイクニュースの流布だ。

毎日よ、ハッドグは韓流か？

『毎日』のルポ記事には、新大久保で人気の韓食として、「ハッドグ」（毎日の記事では「ハットグ」としている）が写真付きで紹介されている。

「第３次韓流ブーム」とやらの象徴的な韓食であるのだそうだ。

「ハッドグ」とは、とろけるチーズを大量に挟み込んだホットドッグのことだ。

「ハッドグ」という言葉自体が、実はＨＯＴ　ＤＯＧの米国での発音だ。ソーセージの上に、溶かしたチェーダーチーズをかける変種も、米国には昔からあった。

貢茶に「韓国」がないのと同じだ。コッペパン、ソーセージ、チーズ……どこに「韓国」があるのか。

いや、「韓国」があろうとなかろうと、韓流を推進する人々にとってはどうでもいいことなのだろう。

情報心理戦の目的は、「政治のことなんて知らないけど、韓国のこと大好き」という「韓流愚民」を増殖することなのだから。毎日新聞のこの記事は、韓国の国家政策にピッタリ合致している。

この記事にはないが、「カムジャタン」も第3次韓流ブームで人気が高まる韓食だという。肉が付いた豚骨と、ジャガイモをコチュジャンで煮込んだ鍋料理だ。最近はチーズも入れるらしいが、昔のスタイルを朝日新聞（06年7月18日）の「食在遠近」欄が取り上げていた。

「赤いスープは辛くて濃厚。残った汁を白飯といためれば最高だ」まではいいとして「1000年以上前に南部で生まれたとされ、全国どこにでもある」とはお笑いだ。

南米原産のジャガイモが、ようやくヨーロッパに辿り着いたのはいつか。コチュジャンの原料である赤トウガラシは、秀吉の朝鮮征伐まで半島にはなかった。ちなみに、この記事を書いた市川速水とは、植村隆とともに「朝日の慰安婦報道」で活躍した記者だ。

“薄汚れたピンクの大富豪”

洪錫炫（ホン・ソキョン）とは韓国の大富豪の1人だ。いまは「韓半島平和作り財団理事長」という肩書を使うことが多いようだが、中央メディアネットワーク（中央日報とＪＴＢＣ）のオーナーだ。

サムスン財閥の事実上のトップである李在鎔（サムスン電子副会長）の母親の弟だ。

ＪＴＢＣはケーブルテレビだ。韓国はケーブルテレビが、たいへんに普及している。そのなかでＪＴＢＣは、李在鎔の逮捕を含む「朴槿恵追い落とし」で主導的な役割を果たした。

日本の韓国通の中には、依然として「中央日報＝サムスン系＝保守系マスコミ」という構図を信じている人が多い。その構図を信じ、さらに李在鎔の縁戚関係を知れば「ＪＴＢＣがなぜ」と不思議になるだろう。

しかし、中央日報はとっくにサムスンの系列を離れている。そのオーナーである洪錫炫は盧武鉉大統領から米国大使に任命された。

脱税で挙げられたことがある人物を駐米大使に任命しただけでも驚きだったが、着任早々、サムスン裏金事件に絡んで検察幹部に金をばら撒いていたことが明るみに出て、辞任した。

そして文在寅政権では外交・安保補佐官に指名されたが、固辞した。

サムスン財閥と縁戚関係にあり、大富豪だが、盧武鉉・文在寅サイドの人物なのだ。脱税で挙げられた過去、時効だったとはいえ検察首脳に金を渡して回った過去からすれば〝薄汚れたピンクの大富豪〟だ。

彼と鳩山由紀夫・元首相が19年6月、ソウルで対談した。

鳩山も「お母様からのお小遣い」問題があった。〝薄汚れたピンクの大富豪〟同士、ウマが合うのだろうか。その対談の内容が中央日報（19年6月17日）に載っている。

▽**洪**　韓日関係が極度の硬直状態に陥っている。28〜29日の大阪主要20カ国・地域（G20）首脳会議（サミット）が目の前だ。

▽**鳩山**　文在寅大統領がせっかく日本に来られるのだから安倍晋三首相とぜひ会談を実現させていきたい。

鳩山に、安倍・文会談を実現させるような力があるのか。

▽**洪**　両国政府が（徴用問題を）解決する意志さえ持てば…（中略）…韓国側では日本政府に問題を前向きに解決していくという意思を示してそこに呼応する返事をし、日本政府もG20会談にうまくつなげていくことができれば、この問題を賢明に解いていけると考える。日本はかなり激昂していると聞いた。

▽**鳩山**　それは政府レベルの問題だが、日本人が依然として憧れる韓流を戦略的に活用するのはどうか。民間レベルでの好感度が高まれば政治的問題は解決しないわけにはいかないというムードが高まると思う。

鳩山は夫婦揃って韓流の大ファンだそうだが、韓流が韓国の国家プロジェクトとして推進されていることを知らないのだろうか。

「民間レベルでの好感度が高まれば政治的問題は解決しないわけにはいかないというムードが高まる」とは、まさに韓国の政権が期待する韓流の目的だ。

それを日本の元首相が代弁し、「戦略的に活用するのはどうか」と提唱している。

文在寅は「脳内に韓国の国益はなく〝北益〟しかない」と揶揄されている。

鳩山の脳内は「日本の国益はなく〝韓益〟しかない」なのだろう。

もう一つの対日情報心理戦

韓国は、韓流とは別の対日情報心理戦も進めている。

俗にいう「嫌韓情報」を封じ込めることだ。

整理して述べよう。

韓流＝対外愚民化政策を推進している。それを至上課題としている限り、韓流や韓国そのものを否定的に述べる言論は「敵」なのだ。

それは封じ込めねばならない。

ましてや、韓国国内で、韓流の大きな部分を担うKポップの中心部分が「売春」「性接待」「賭博」「麻薬」「横領」などで汚れきっている実態が、韓国内で次から次へと明らかになりつつある。

だから、何としてでも日本で「嫌韓情報」が拡散するのを防がねばならない——これが韓流推進と並ぶ韓国の対日情報心理戦の重要課題になるわけだ。

政権ベッタリの韓国マスコミが常套手段とするのは、韓国にとって好ましくない情報をすべて「嫌韓情報」として括り、その情報の中身が事実であっても「暴言」「妄言」「ヘイト」のレッテルを貼ることだ。

例えば、日本のテレビに出たコメンテーターの発言を「暴言」「妄言」と決め付ける。その際、発言の中身を深く検討することはない。すべては〝日本の極右勢力〟が述べている妄言なのだと国民に刷り込むのだ。

〝日本の極右勢力〟とは、韓国の情報当局とマスコミが長年かかってつくり上げてきたキーワードだ。「絶対悪」を意味する。

19年8月18日のMBCテレビの東京からのルポはその典型だった。ルポは最後に「毎日新聞はコラムで、このような嫌韓を放置することは日本の国益にならないと批判しました」と述べている。

韓国マスコミのこうした報道は、日本の親韓派への指令を兼ねているのではないか、と疑ってしまうこともある。

日本のジャーナリストの中にも、「韓国に関しては、事実であっても書いてはいけないことがある」と恥じらいもなく主張する人がいるからだ。

嫌韓情報と闘う日本の「市民」は概してレッテル貼りが好きなようだ。彼らも、嫌韓情報の内容が事実なのかどうかには関心を持たない。韓国に関して、自分たちの気に障る情報はすべて「嫌韓情報」なのだ。

そして嫌韓派に対して「老人」「夢を失った人々」「低所得層」などとするマイナスイメージのレッテル貼りを積み重ねていく作戦を試みている。レッテル貼り――文在寅政権の保守派絶滅作戦と同じ手法だ。

『毎日新聞』の「なぜ嫌韓は高齢者に多いのだろうか」（19年5月18日）は内閣府の世

論調査を引用して書いているが、後半では定年退職後ネトウヨになったものの、いまは反省しているという人物を登場させる。これは、あまりにも恣意的な人選ではないか。

嫌韓派＝ネトウヨ＝「老人」「夢を失った人々」を印象付ける構成に思える。前出『毎日新聞』の〝若者が中心〟の韓流絶賛ルポ記事と併せ読むと、日本のアンチ嫌韓派が企図するところが浮き出てくる——などと指摘することは、彼らからすると「ヘイト論者である証拠」となるのかもしれない。

『週刊ポスト』（19年9月2日号）の特集「怒りを抑えられない『韓国人という病理』」が、ヘイト排撃論者の標的になり、何人かの文筆家（多くが在日韓国人）が抗議の声を上げるや、出版元の小学館がすぐさま「お詫び」したのは、韓国の情報当局にとって「理想の展開」だったはずだ。

『週刊ポスト』のこの特集は、実は私が『月刊Hanada』（19年4月号）に書いた連載「隣国のかたち」のパクリだ。

韓国のマスコミは、日本での対韓ヘイトに対抗する動きを細かく報じる。東京で開かれた200人程度のヘイト反対集会まで記事にしている。

しかし、『週刊ポスト』の件に関しては、私が目を通している限りでは、ハンギョレ新聞（19年９月６日）が「特派員コラム」の中で触れただけだ。

それも、特集の見出しと、出版元のお詫びを伝えただけで、特集の内容にはまったく触れていない。

日頃の韓国紙の対日報道からすれば、「『週刊ポスト』は……などという悪意に満ちたデマを並べ立てた」と内容を紹介し、専門家による日本マスコミ批判コメントを付けた大型記事になるはずだ。

そうならなかったのは何故だ。

記事の内容が正確であり、しかも韓国人なら誰でも知っている常識だからだ。

『週刊ポスト』の特集に「ヘイトだ」の声を上げた人々は、事実を何と心得るのか。「事実であっても、韓国のイメージを悪くする内容は、日本人に知らせてはならない」とでも言うのだろうか。だとすれば、共産主義型の言論統制論者に他なるまい。

第4章　旭日旗排撃という病

排撃は連想させるものすべてに

紅ズワイガニが10本の足を大きく広げた模様を描いた包装紙が、韓国で非難の対象になったことがある。その包装紙を使っていたのは、水産市場や魚屋ではなく、ハンバーガーショップだった。

カニハンバーガーを売っているそうだが、面白いのは非難の理由だ。「戦犯旗＝旭日旗を連想させるから許せない」というのだ。

韓国で旭日旗が排撃対象になっている事実は、日本でもよく知られるようになった。しかし、韓国が排撃対象とするのは旭日旗「だけ」ではない。

韓国のメディアが報じた旭日旗排撃の動きを拾ってみよう。

▽高陽市の花井駅前広場にある円形の噴水を上から見ると、パイプの配置が旭日旗に似ている。あの噴水を取り壊すべしとの要求が……（中央日報・韓国語サイト12年8月20日）

▽釜山市の民楽小学校の校章は旭日旗の上の部分だ。ケシカランとして改変を要求する声が（朝鮮日報・韓国語サイト13年1月5日）

校章は波間から昇る太陽のデザインだ。港湾都市の小学校の校章としては相応しく思えるが、校舎の裏壁に描かれていた数十個の校章が毀損された。そして——

▽釜山明倫小の校章、開校１００年ぶりに変える（聯合ニュース・韓国語サイト17年９月18日）

▽「東学革命軍をたたえる聖地に旭日昇天旗模型の花壇とは何事か」の声に、郡は「改善を検討」（ニューシス14年5月5日）

この記事にある旭日昇天旗——韓国では長らく、旭日旗を、こう呼んでいた。「旭日旗」となったのは、つい最近のことなのだ。

それにしても、８年前に花壇が造成された時は、誰も問題にしなかったのに……。

▽米ペンシルバニア大学で、韓国人留学生が学生食堂のステンドグラスのデザインが旭日旗に似ているとして、大学側に撤去を要求（朝鮮日報14年3月18日）

このステンドグラスは一九二八年に設置されたもので、大学側は撤去を拒否。留学生は「不当だ」と叫び続ける。

▽弁当のパッケージのシールが旭日旗に似ているとの指摘が出て、コンビニ本社が慌ててシールを変更（朝鮮日報19年5月28日）

▽光明市の公園にある顕忠塔のレリーフ（浮き彫り細工）が旭日旗に似ている。取り壊すべしとの要求が出て……（京仁日報19年6月26日）

▽釜山市の国連参戦記念塔は上から見ると、16本の支柱が伸びている。まさしく旭日旗のデザインだ。撤去するか、目立たないところに移転しろと市議が要求（中央日報19年8月14日）

16本の支柱は、一般的な旭日旗の光彩が16条であるからではなく、朝鮮戦争で国連軍に参加した国の数を示すのだが……。

面白そうな記事を拾ってみたが、排撃対象は旭日旗だけではない。連想させるものすべてに及ぶのだ。

韓国の反日運動家の連想力は凄まじい。

サッカーW杯や五輪での日本チームのユニフォームにもケチを付けた。どれも放射線模様だが、旭日旗を連想できない私は鈍すぎるのか。

結局のところ、放射線状のデザインはすべていけないということなのだ。

だから、２０２０年開催予定だった東京パラリンピックのメダルにまで、韓国の大韓障害者体育会が公式の文句を言ってきた。

メダルのデザインは日本伝統の扇子をモチーフにしたものだが、例によって「旭日旗を連想させる」と。もうビョーキという外ない。

彼らはなぜ、こんなビョーキにかかったのか。そのビョーキが、どういう経路を経て、済州島で開催された国際観艦式で、日本の海上自衛隊が参加を取り止める事態に至ったのかを考察したい。

18年夏に始まった「戦犯旗根絶特別企画」

中央日報やJTBCを束ねる中央メディアネットワークとは、前章で触れた通り「薄汚れたピンクの大富豪」が支配する。そこに属する『日刊スポーツ』（日本の朝日新聞系の同名紙とは無縁）が、突如として「戦犯旗根絶特別企画」と題する連載を始めたのは2018年8月のことだった（中央日報の日本語サイト18年8月6日に全文がある）。

「戦犯旗」とは旭日旗のことだ。

振り返れば、この連載企画が「旭日旗」を「慰安婦」「徴用工」に続く〝反日の第3軸〟に押し上げるスタートであり、済州島で開催された国際観艦式に日本の護衛艦が参加を取りやめた事件への仕掛けの始まりだった。

いまや「旭日旗＝戦犯旗」報道に、ひときわ熱心な中央メディアネットワークだが、「本紙」に当たる『中央日報』の日本語サイトで「旭日旗」を検索してみたことがある。２０００年初めから10年末までの11年間に、「旭日旗」という単語がある記事は、たった１本しか出てこなかった。

その１本とは、慰安婦をテーマにした映画で、女優・李丞涓（イ・スンヨン）がヌードになった場面の映像が移動通信各社に提供されるとのニュースだ。

記事の中に「日本軍国主義の象徴である旭日旗が燃える場面もある」という件（くだり）があったので、検索に引っかかった。つまり、記事のテーマはあくまでも「李丞涓のヌード」であり、旭日旗批判の記事ではない。

しかし、その間、韓国に旭日旗批判がなかったわけではない。

07年には、歌手グループ・ビッグバンのメンバーの１人が、両胸に旭日旗ワッペンを付けたジャンバーを着てテレビに出演し、批判された。

テレビ局のスタッフが「そのジャンバーはまずい」と押しとどめることもなかったのだ。放送後に批判が出たとはいえ、テレビ局のスタッフがなんとも思わないほど、韓国社会全体で見れば旭日旗は問題視されていなかったのだ。

朝鮮日報は芸能欄で記事にしたが、中央日報は報じなかった。

朝鮮日報の記事（07年9月11日）は「旭日昇天旗は、太陽と陽光を形象化した旗で、第二次世界大戦当時、日本海軍が使用していた軍国主義の象徴だ」との説明を付けている。

そんな説明を付けなければならないほど、旭日旗は韓国人一般に知られてもいなかったのだ。

それを一気に有名な存在にしたのは11年1月のサッカー・アジアカップの準決勝、日本対韓国戦だった。韓国代表チームの奇誠庸（キ・ソンヨン）はPKを決めた直後に猿真似パフォーマンスをした。猿真似は韓国で日本人を侮辱する際に、しばしば演じられる。

日本を批判する韓国ネットの書き込みには「チョッパリ」（日本人に対する侮蔑語）とともに「日本の猿ども」という表現が頻繁に出てくる。

奇誠庸は「人種差別」との批判を浴びると、「観客席で振られていた旭日旗を見て……」と言い訳をした。

「観客席で振られていた旭日旗」の証拠映像はまったく出てこないのだが、この言い訳で奇誠庸は韓国のネット主流を味方にした。すなわち、「旭日旗狩り」の種火を灯したのだ。

奇誠庸は韓国の反日運動史の中に名を残すだろう。彼は13年に女優と結婚した。そして新婚旅行先に北海道を選んだ。彼の脳内構造は、どうなっているのだろうか。

旭日旗に関する中央日報の記事は、11年には5本（うち奇誠庸に関するものが3本）になり、12年14本、13年26本と増えていく。済州島観艦式があった18年は100本、19年は89本だった。

旭日旗がパリを行進した時に

この間にあった特記すべき動きは、18年7月14日、フランス革命記念日だ。その日、日本の自衛隊員10人が軍事パレードに参加した。もちろん、フランス政府からの招きによる。陸自は国旗（日の丸）と自衛隊旗（旭日旗）を掲げて、パリのシャンゼリゼ通りを行進した。

いまにして思うと、韓国人がこの時に受けた衝撃――「あろうことか、日本の旭日旗が花のパリをパレードした」という嫉妬の感情も秘めた憤激こそ、『日刊スポーツ』の連載と、反日運動家・徐坰徳（ソ・ギョンドク）との提携、そして同年10月の済州島観艦式での

「旭日旗騒動」に繋がっていくのだ。

陸自がパリの軍事パレードに招待されたのは3回目だ。過去2回、韓国は何の反応も示さなかった。

しかし3回目の行進には、韓国・中央日報（韓国語サイト18年7月15日）が悪意ある記事を掲載した。

「日本の軍国主義を象徴する『旭日旗』も掲げながら行進した」

「（フランスでは）ナチス・ドイツの象徴であるハーケンクロイツ模様の使用は厳格に禁じられているが、同じ意味を持つ日本の旭日旗を国家的行事に堂々と掲げて行進することを許した」

韓国国内で、旭日旗を非難するときは「日本の軍国主義を象徴する」として「戦犯旗」と呼ぶ。

「戦犯旗」とは韓国人による新造語だ。12年頃に韓国のネットに登場（もちろんハングル書き）とされるが、韓国の大手紙に載るようになったのは18年夏頃からだ（聯合ニュース・韓国語サイトでの初出は18年8月31日）。

笑ってしまうのは、18年9月27日、キリスト教系の左翼団体がソウルの日本大使館前で開いた旭日旗排撃を目指すデモだ。先頭に立つグループが広げ持つ横断幕には「戦犯機」と大書してあった。

ハングルで書けば「旗」も「機」も同じ「기」だが、横断幕を見る韓国人が漢字を知っているわけではないのだから、「そんなこと、ケンチャナヨ」なのだろう。

韓国人が外国人に対して旭日旗を非難するときは「ハーケンクロイツと同じ意味を持つ」と説明する。出鱈目だ。

ハーケンクロイツは、そもそもナチスの党旗であり、使われた期間も短い。西欧では、その模様の使用を禁止している国もある。

一方、旭日旗は遥か前から「大漁旗」など使われていた伝統がある。その後、軍旗に採用され、自衛艦旗に引き継がれた。ドイツでいえば「鉄十字」旗がそれに当たる。「鉄十字」旗の使用を禁止している国はどこにもない。

中央日報の記者は、そんな事実も知らないで、上記の記事を書いたのだろうか。いや、彼らからすれば、知っていたとしても「旭日旗はハーケンクロイツと同じだ」と大声で触れ回ることが「愛国的行動」なのだ。嘘も百回言えば……韓国型情報心理戦の基本中の基本といえる戦術だ。

この記事に対するコメントで賛同が圧倒的に多かったのは「中央日報はいつまで旭日旗と書くのか。何度言えば戦犯旗だと分かるのだ」と、尻を叩く内容だった。

やったやった詐欺の手口

こうした経緯の後、「戦犯旗根絶特別企画」に登場したのが徐坰徳（ソ・ギョンドク）だ。

韓国紙の日本語サイトを時々のぞく日本人なら「徐敬徳」という反日活動家の名前なら見たことがあるだろう。何しろ中央日報に頻繁に出てくるから。

この「徐敬徳」、本当は「徐坰徳」なのだ（発音は同じ）。本人がツイッターでそう言い、韓国語版ウィキペディア（19年8月5日更新）でも「徐坰徳」になっている。

それなのに、中央日報の日本語サイトは「徐敬徳」だ。日本語サイトの翻訳者がいかに怠慢かを示す。

中央日報は、彼の肩書を「誠信女子大教授」としている。ほかの韓国メディアでは「客員教授」だったり、「韓国広報専門家」だったりする。

教授と客員教授では、待遇が天と地ほど違う。どちらが本当か、韓国語版ウィキペディアを見ると、「誠信女子大」はまったく出てこない。もうこれだけで、どうにも胡散臭い。

彼は08年から歌手・金章勲（キム・ジャンフン）と連携してきた。

金章勲――韓国人に「彼の代表的ヒット曲は」と尋ねても、ほとんどは「はて」と首を捻るだろう。もっぱら反日活動で名を売ってきた歌手だ。反日リサイタルを開き、活動のための募金を集め……日本人から見たら「反日ビジネス歌手」だ。

朝鮮日報（11年9月1日）は、金章勲について「この10年間で総額100億ウォンを寄付した」と称えているが、集めた募金を寄付しただけのことだろう。いや、それでも慰安婦を〝食い物〟にした正義記憶連帯とは雲泥の差だ。

金章勲は独島（竹島）守護、徐坰徳は東海（日本海）への名称変更運動に軸足があったが、2人で取り組んだ活動もある。ニューヨークタイムズなど米国の有名新聞、あるいはマンハッタンの屋外広告塔に日本批判の広告を出すことなどで、主舞台は米国だった。

米国人に訴えることが対日圧力としては最も有効と彼らは考えているからだ。慰安婦像のPRと同じ発想であり、その根にあるのは事大主義の感覚だ。

中央日報（12年5月25日）は、金章勲の懐具合に関して「寄付のせいで借金が7億ウォン」になり、「ナイトクラブで公演」することになったと伝えた。

10年間で１００億ウォンも寄付した歌手が、最近は7億ウォンの借金を背負い、クラブ歌手生活とは可哀想に。「赤いタマネギ女」尹美香の指導を受ければよかったのに……金の切れ目が縁の切れ目か。金章勳と徐坰徳が手を組んだ反日活動の報道は途切れた。

徐坰徳は12年10月、「留学生50人と共に３週間かけて日本の主要大学に従軍慰安婦問題に対する謝罪を求めるポスター1万枚を掲示した」と発表した（聯合ニュース12年10月29日）。

「東京大学、京都大学、岡山大学、大阪大学、立教大学など40校の掲示板や学生食堂、寄宿舎、大学前の飲食店などに掲示した」と。

1万枚のポスター、大きなものなら総重量は1トンにもなるだろう。日本で印刷したなら、韓国で印刷するより何倍もの費用が掛かっただろう。Ａ２サイズのポスター印刷は、どんなに安い印刷業者でも1枚３００円はする。並みの仕上がりにするには１３００円以上かかる。

50人の留学生への手当と交通費。輸送料と滞在費。

どれほどの費用がかかり、誰がそれを負担したのだろうか。大学教授は、この時期に3週間も大学を空けられるのか。

様々な疑問を、日本のネットメディアJ-CASTの報道が一挙に解消させてくれた気がする。

J-CASTが各大学に問い合わせた結果を報じた（12年10月30日）。

——総務部や広報などの担当者は「そのようなポスターは見当たらない」と口を揃えた。岡山大学の担当者がこのニュースを知ったのは29日だとし、「学内の掲示板、食堂などありとあらゆる場所を調査しましたが、丸一日経っても何も見つかりませんでした」——

〝やった、やった詐欺〟の典型的な手口を見る思いがしてくる。

国家情報院と徐坰徳の領収書

彼は実際に詐欺罪で告発されたことがある。彼が主宰する財団「大韓国人」が、韓国政府からエチオピアの貧困層救済のための衣料発送業務を請け負った。ところがメーカーから提供された衣料品の99％を「輸送費調達」などの名目で国内の衣料品市場に横流した。これにより財団は20億ウォンを得た。提供された衣料品の1％だけをエチオピアに送ったのだ。

怒った提供メーカーが告発したが、財団は「配送コストのため売却することについて同意があり、契約上合法である」と主張し、裁判所は詐欺罪について「証拠不十分」とした。

この件について、韓国語版ウィキペディアは末尾の「その他の活動」の項で「財団法人『大韓国人』の初代理事長に選出されて活動したが、団体が不正な事件に巻き込まれた」とのみ記述している。

徐垌徳は詐欺の主犯どころか、不正な事件に巻き込まれた被害者だったというのだ。被害者コスプレ――韓国人が、韓国企業が、そして韓国政府が得意とする術だ。

17年夏、検察が李明博政権下での国家情報院によるネット操作疑惑を調べた。心理戦団と、その発注を受けた外部の委託者たち（コメント部隊などと呼ばれる）による操作疑惑だ。大量の領収書が押収された。その中から徐垌徳名義の領収書が出てきた。

彼は国情院と繋がっているとの噂を頑強に否定していたが、「領収書報道」の翌日には「ユネスコでのハングル展の支援金だ」と認めた（ＪＴＢＣ17年9月5日）。

情報機関に領収書が残っているような支出は、実は「どうでもいい経費」だ。本当の工作費は、領収書などあるまい。

国情院が外部委託者に反日活動をさせても、韓国政府は「それは民間団体がしていることで……」と白を切り通せる。

中央日報グループの「戦犯旗根絶特別企画」は〝薄汚れた者同士〟の握手だったといえよう。

その少し前から、中央日報は彼の「旭日旗狩り」行動を頻繁に記事にするようになった。

例えば、日本の外務省と防衛省は19年5月、旭日旗に関する説明をHPにアップした。すると徐坰徳は外務省に抗議のEメールを送った。

すぐに中央日報（19年5月27日）が記事にした。

――誠信女子大学の徐敬徳教授が日本の外務省に「帝国主義日本軍が使った戦犯旗『旭日旗』に対する歴史的事実を正しく知らせよ」という内容の抗議メールを送ったと27日に明らかにした――と始まる400字強の記事だ。

一大学教授が、日本の外務省に抗議のEメールを送ったことが、日本の新聞に引き直せば30行強の記事になる。信じられないことだ。それにしても元手のかからない抗議活動だ。

前述の特別企画の連載第１回で、彼は述べている。

「そろそろ強く出る時期が来たのではないかと思う」

「世界的に旭日旗イコール戦犯旗、使ってはいけないものという認識を植え付けて世論を形成し、日本政府を圧迫する戦略が最も大きな効果を上げる」

認識を植え付けて世論を形成し、敵を圧迫する――まさに情報心理戦だ。

彼らは、こう意気込んで、近づいてくる済州島での観艦式を待ち受けていたのだ。

――誠信女子大学の徐敬徳教授は、10月10日から14日に済州で開かれる「２０１８大韓民国海軍国際観艦式」に「旭日旗は掲げるな」と要請する内容の電子メールを日本海上自衛隊側に送ったと13日、明らかにした（中央日報18年９月13日）

５月27日の記事と比べてほしい。中央日報には「徐敬徳関連ニュース」のヒナ形でもあるのかもしれない。

日付と抗議先を変えて、「……について」に当たる部分を書き変えて、すぐに出来上がる。

そこへいくと、済州島の地方紙「済州毎日」の論説記事（19年9月9日）には、とても〝韓国人らしい〟記述があった。

「日本艦艇が戦犯旗である『旭日旗』をはためかせて済州の海を掻き回すと発表されて論議が再び大きくなっている」

「戦犯旗を掲げた日本艦艇により、今回の国際観艦式の主題である『済州の海、世界平和を抱く』が面目を失うほどだ。果たして何のための、誰のための国際観艦式なのか」

戦犯旗をはためかせて済州の海を掻き回す――まさに〝韓国人らしい〟対日悪意に満ちた表現ではないか。

怨霊が漂う済州の海

韓国人はしばしば済州島の海を「平和の海」などと表現する。観艦式のテーマ「済州の海、世界平和を抱く」も、そうした表現の延長線上にあるのだろう。

朴槿恵政権の尹炳世（ユン・ビョンセ）外交相は15年5月、済州島で開かれたフォーラムで「韓日中3国首脳会議が、平和と和解を象徴する島・済州島で最も早く集まりやすい時期に開催できることを希望する」と述べた。

何という悪い冗談だろうかと思う。

1948年4月3日、済州島で勃発した暴動と、その苛酷な鎮圧過程で起きた大虐殺を「済州島4・3事件」と呼ぶ。

事実関係は、「加害者側証言×被害者側証言」のぶつかり合いで、確定はしていない。

それでも明らかなことは、朝鮮戦争が起きる前の混沌とした状況の中で、南鮮労働党（北朝鮮労働党の南部組織）が済州島で暴動を起こしたことが発端だった。

「共産主義者の残虐性」を叩きこまれていた軍・警察と自警団、本土（朝鮮半島南部）から駆け付けた反共グループは、鎮圧するだけにとどまらず、「疑わしきは殺す」で、半年の間に、島民の2割以上を殺戮（さつりく）したとされる。実数としては4万人とも6万人とも言う。

そして、多くの遺体は埋葬されることもなく、海に投げ込まれた。済州島の海とは、「平和な海」どころか、怨念が漂う海だ。

海に投げ込まれた遺体の中には対馬に漂着したものもある。対馬の人々が、遺体を引き揚げ、対馬の僧侶が弔った。

「韓国人よ、そのぐらいの史実を知っておけ」と怒鳴りつけたくなる。

「済州島の海、世界平和を抱く」とは、よくも恥ずかしくもなく、こんなテーマを付けられたものだ。大虐殺があった地が「平和と和解を象徴する島」――韓国流にいえば、これぞ「妄言」だ。

ついでながら述べておく。戦後になってから日本に来た済州島出身者が在日韓国人に多いのは、4・3暴動と、その鎮圧があったからだ。ボート・ピープルとして日本に上陸したのだ。その中には南朝鮮労働党の党員やシンパも潜り込んでいた。その人脈は、日本の左翼政党や左翼組織に食い込み、今日に至っている。今も彼らの人脈に揺り動かされている政治組織が日本にはある。

「韓国は戦勝国」という妄想

文在寅政権下での「新しい国技」とでも言うべき大統領府の電子掲示板への請願も相次いだ。「観艦式に参加する自衛艦に戦犯旗を付けさせるな」「観艦式は日本をボイコットして開催しよう」などなどだ。

大統領府の電子掲示板への請願は匿名でいい。賛同のクリックももちろん匿名だ。心理戦団の活躍の場だ。

この問題での請願を報じた京郷新聞（韓国語サイト18年9月26日）を見ていて「アレ」と思うところがいくつかあった。

「軍艦は通常、所属国の海軍旗を付けるが、日本の自衛隊艦艇は帝国主義海軍旗に由来した旭日旗も掲揚する」

旭日旗も掲揚する――自衛艦は海軍旗を掲揚しているうえに、旭日旗も掲揚していると、韓国人は考えているのだ。海上自衛隊の公式の自衛艦旗が旭日旗であることを、韓国では新聞記者も知らないようだ。

この記事は請願の内容（趣旨説明部分）も紹介している。

ある請願者は「全世界が旭日旗に反対しているのに……」と述べている。

海上自衛隊の艦船は旭日旗を付けて、世界各国の観艦式に参加している。19年4月には中国の観艦式にも旭日旗を掲揚して参加した。

が、この請願者は、世界中が旭日旗に反対していると思い込んでいる。いや、韓国の新聞を見ていたら、そうとしか思えない。

与党の院内スポークスマンは「戦犯国だった日本が旭日旗を誇るのは、永遠に二等国にとどまるしかない理由ではないか」と言い放った。

日本が戦犯国なら、併合していた朝鮮も戦犯国であり、そこから分裂して発足した韓国も戦犯国ではないか。

が、彼らは「韓国は戦勝国」との妄想から抜け出せない。彼らは日本人と朝鮮人の関係を、ドイツ人とユダヤ人の関係に見立てている。

少し世界史の知識があれば、ドイツとオーストリアの関係に似ていると分かるだろうが、韓国の中学、高校には世界史の授業時間がほとんどない。

世界史は大学受験の必須科目ではないから、誰も真剣に学ばないのだろう。

「韓国の常識は世界の非常識」とは、日本の韓国ウオッチャーの〝常識〟だが、多くの韓国人にとっては、「韓国の常識は世界の常識」だ。

だから、韓国人が最近になって「許せない」と思うようになった旭日旗は、世界中で嫌われているはずなのだ。韓国人が嫌っている日本も、世界中で嫌われているはずなのだ。

旭日旗に関しても、デマ情報が燃え上がり、妄想が妄想を呼んでいく。

そうした旭日旗排撃運動の中枢にいるのは、「反日屋」と言うよりは、「詐欺師」と呼ぶのに充分に値する人物なのだ。慰安婦支援組織と同じ構図だ。

独島艦に敬礼する屈辱を

デマ情報の集積によりつくられたのが「済州島の平和な海で開かれる国際観艦式に、日本の自衛艦が軍国主義の象徴である旭日旗＝戦犯旗を掲げて参加することは認めるべきではない」という世論だ。

しかし、軍艦は「主権国家の移動する領土」であり、国連海洋法条約も国籍と軍隊に属することを示す「外部標識」を掲げることを規定している。それを受けて、自衛隊法は自衛艦旗の掲揚を義務づけている。

それで韓国海軍は当初、「参加する各国の軍船が軍艦旗を掲揚するのは国際慣例」と、世論をやんわりと説得していた。

この説得が本気だったのか、あるいは出来上がったシナリオに沿ったポーズだったのかは分からない。

この間、韓国のネットでは「観艦式の座乗艦を『独島艦』に変える」提案が賛同を集めた。座乗艦とは、観艦式で大統領が乗る軍艦のことだ。旧日本海軍では「御召艦」と言った。

観艦式で各国艦艇は、座乗艦の前を航行する際、乗組員が甲板に整列して敬礼する。だから、「独島艦」を座乗艦にすれば、日本の海上自衛隊員に、「独島」に敬礼する屈辱を味わわすことができる――というのだ。

どこまで性格の悪い国民なのかと言うほかない。

ところで「独島艦」（1万4500トン）とは〝お笑い韓国軍〟の代表のような軽空母（上陸用強襲艦）だ。

「ヘリコプター7機と戦車6両、上陸突撃装甲車7両、トラック10両、野砲3門、高速上陸艇2隻を搭載して最大700百人余りの兵力を運ぶことができる」（聯合ニュース・韓国語サイト13年9月10日）と、能書きはすごい。

しかし韓国軍には、これに搭載する塩害防止機能を施したヘリコプターがない。あったとしても、艦尾の自動照準対空砲の設置高度に計算ミスがあり、自艦に搭載したヘリコプターを撃ってしまう可能性があることが判明している。

その対空砲の愛称は「ゴールキーパー」。それが「オウンゴール」すると言うのだから、もう落語だ。

実際に座乗艦になったのは揚陸艦「日出峰艦」（４９００トン）だったが、「日の出」こそ、まさに旭日旗の由来ではないのか。

嘘つき海軍は漢字も読めず

第二段階で韓国海軍は「国内世論の強い反発」を理由に挙げて、旭日旗を掲揚しないで観艦式に参加してほしいと申し入れてきた。

「国内世論の強い反発」を理由に、日本に譲歩を迫るのは、韓国の伝統的な対日戦術だ。その戦術が始まると、日本の歴代政権は、だいたいのところ、譲歩してきた。

しかし、安倍政権下の海上自衛隊は、きっぱりと拒否した。

すると第三段階。「参加するすべての国の艦船は国旗だけを掲揚することを〝原則〟とするので、日本も国旗だけに」と。

海上自衛隊は「海軍の伝統も国際法も無視した急造の〝原則〟に参加各国が従うはずはない」と読んでいた。つまり、旭日旗はずしだけを狙った〝原則〟ということだ。

海上自衛隊は、これも拒否して、観艦式への不参加を通知した。

これで良かった。

観艦式本番、軍艦旗がある国7カ国は〝原則〟を無視し、軍艦旗を掲揚して参加した。残り3カ国は軍艦旗を定めていない。

国内法や国際法に反する掲揚自粛を、日本だけが受け入れていたならば、国際社会での日本の信頼失墜につながった。きっと中国は「日本は、国内世論を背景に圧力を掛ければ、簡単に折れる国だ」と確信していたことだろう。

参加国は、韓国が提示した「国旗のみ掲揚」という〝原則〟を無視したが、驚くべきは韓国自身が、その〝原則〟を守らなかったことだ。

座乗艦は国旗のほかに「帥」と記した旗を掲げていた。

「帥字旗」とは、豊臣海軍と戦った李舜臣将軍が軍船に掲げていた旗だという。「帥」の意味からすれば、司令官の所在を示す標識旗、つまり旗艦のシンボルだ。だから、他の将軍が指揮を執る軍船団でも、旗艦は「帥字旗」を掲げていたはずだ。

ところが、韓国は「帥」の字を反日のシンボルだと思い込んで、いやがらせのつもりで掲揚した。漢字を読めない人々の哀れさよ。

日本の抗議に対して、韓国海軍は言った。

「あの〝原則〟は、外国に対して示したもので、主催国には適用されない」と。

そんな弁明で納得する国があるだろうか。

観艦式に参加する各国に対して、韓国海軍として正式に提示した〝原則〟を、韓国海軍が自ら破り、「嘘つき海軍」であることを参加国に知らしめたのだ。

海自ＯＢが「そんなこと（帥字旗の掲揚）は、艦長クラスが決められることではない」と反応したのは、きわめて〝常識〟的だ。

文在寅のお気に入り

しかし〝世界の常識〟では韓国を測れない。

実は、「帥字旗」を掲げさせたのは、タク・ヒョンミンという大統領府儀典秘書官室に勤務していた上級行政官（課長クラス）だった。

タクには聖公会大学の兼任教授だった経歴があるが、実際にしていることは「イベント屋」だ。

どこかで文在寅と縁を結んだようで、12年の大統領選挙では文在寅陣営の出陣式を企画し、16年には文のネパール旅行に同行した。17年の大統領選挙では出馬映像の演出を担当した。

つまり「文在寅のお気に入り」であり、文の当選後に大統領府に入り、儀典秘書官室でもイベントを担当した。

トランプ米大統領が韓国を訪問した際の晩餐会に「独島エビ」を出させたのも、この男の〝浅知恵〟だった。後になって「（日本が）あれほどヒステリックに反応するとは思わなかった」と告白している（朝鮮日報19年5月22日）。

タクはその後、大統領府を去ったが、すぐに「大統領行事企画諮問委員」に任命された。行政官であるより、縛られない立場でイベント企画も外部活動もできるようになったのだろう。

そして19年5月、諮問委員の肩書で、済州島で講演し、儀典秘書官室の上級行政官の立場で「帥字旗」を掲揚させたことを明らかにした。

「日本が旭日旗に固執する理由が軍国主義、あるいは第2次世界大戦の自負心を総体的に象徴するためだと考え、それならば、これに相応する私たちの象徴を示すことが最も適切な対応方法だと考えた」

「（座乗艦への帥字旗の掲揚により）日本海上自衛隊が李舜臣将軍に敬礼をしなければな

らなくなった」

「だが、日本は結局、参加しないことになり、その（海上自衛隊員が帥字旗に敬礼する）姿を見られなかった」（ニューシス19年5月16日）と。

ネットを賑わした「独島に敬礼する屈辱を味わわせてやれ」と同じ発想だ。

しかし彼は「日本不参加」も知らずに、「帥字旗」を掲揚させたのだろうか。

一国の海軍が参加各国に約束した〝原則〟を破った結果については、ニューシスの長い記事の中に何の言及もない。

「そんなことを艦長クラスが決められるはずはない」、つまり外国海軍との約束を破るようなことは、海軍参謀総長か国防相でなければ決定できないという世界の常識は、韓国には通用しなかった。

いくら「大統領のお気に入り」とはいえ、40歳代半ばの課長クラスが発した理不尽な〝指令〟に、韓国海軍首脳は従ったのだ。

こういう権力構図は陸軍でも変わらない。

17年9月、大統領府の民情首席秘書官室に勤務する4級職の行政官（課長クラス）が、休日に陸軍参謀総長を喫茶店に呼び出す〝事件〟があった。行政官が将軍への昇進試験で自分の友人を有利に取り扱ってほしいと請託したとの噂がもっぱらだった。

事は有耶無耶になったが、大統領府の課長級職員の電話を受けるや、陸軍のトップがあたふたと喫茶店に出向く権力構図があるのだ。

海上自衛隊の哨戒機に対するレーダー照射、その後の韓国側の見苦しい抗弁も、文在寅政権下のこういう権力構図の下での出来事だったのだ。

韓国海軍は30カ国に国際観艦式への招待状を送った。

14カ国が参加を表明した。

が、日本が参加拒否。中国が前日に理由不明のドタキャン。マレーシアとフィリピンは当日になってドタキャン。

米国の空母ロナルド・レーガンは、小舟を連ねた左翼の海上デモに航路を阻まれ、済州島の基地に入港はしたものの、海上パレードには参加できなかった。

哀れな観艦式になった。

しかし、この観艦式を通じて、旭日旗排撃は、慰安婦、いわゆる徴用工に続く反日の第3軸になった。「反日」で飯を食っている人を除いたら、韓国人に何の得があるのか、分からないが……。

第５章　レーダー照射事件と韓国型ケンカ定石

「お前こそ泥棒だ」という処世訓

韓国には「泥棒と言われたら、お前こそ泥棒だと言い返せ」という処世訓めいた言葉がある。

個人も、企業も、政治家も、国家も、この処世訓を地で行く。

万引きが見つかると、言葉は決まっている。「ちょっと借りただけだ」。とりあえず犯意を否定するのだ。そして「こんな物、誰が盗むかい」と投げ返して立ち去る。

しかし、それで終わらない場合もある。

ケース1 「ちょっと借りただけなのに泥棒とは何だ。謝罪しろ」と居直る。韓国人は謝罪するのが大嫌いだ。

よそ見をして歩いていて、商店の陳列品を倒してしまった。そんな場合も謝らない。「こんなところに置いておくのが悪い」と始める。そんな些細なことでも、謝罪することは、彼らにとっては沽券にかかわるのだ。

誰もが滅多に謝らない社会だから、逆に何かあると相手に謝罪を強要する。相手が謝罪したら、自分が「被害者」であることが証明されたと受け止め、徹底的に責め立てる。

慰安婦問題は、この典型だ。

ケース２「お前こそ泥棒だ。昔、俺のものを盗んだじゃないか」と始める。「お前こそ泥棒だ」と指弾することで、まず相手の度肝を抜く。こうした場合の「昔のこと」など、しょせんは水掛け論だ。それをいいことに「お前が先に盗んだ」と言い張り、〝当然の報復〟なのだから、と自分の行為を正当化する。

どんな証拠を突き付けられても、決して非は認めない。従って謝罪することもない。責め立てられ謝罪することは、韓国人にとって最大の恥辱だからだ。

最後の最後まで「お前こそ泥棒だ」と主張し続けることで、有耶無耶に終わらす――これが韓国型の「ケンカの定石」だ。

韓国企業は特許侵害で訴えられると、すぐに「われわれこそ特許を侵害されていた」と逆提訴する。サムスン電子の行動は、その典型だ。

サムスン電子には、「肩書社長」が十数人いた。日本流に言えば「執行役員・社長」だが、そのうちの１人が「海外法務担当・社長」とはお笑いだ。

それだけ多くの海外での訴訟を抱えているのだ。このポストにいた人物が、やがて文在寅政権の重要ポストに就き、「ＧＳＯＭＩＡ破棄」を主導することは第６章で述べる。

韓国企業が特許侵害で訴えられ、逆提訴する際の証拠は、国際法廷では歯牙にも掛けられない標準特許であることが多い。だが、彼らにとって重要なことは、第三者の目だ。

とりあえずは、「訴えられている会社」ではなく、「双方が訴えて争っている」に状況が転換できればいいのだ。

そして、どんなに不利な条件でもいいから和解に持ち込む。傍目から見たら、どちらが正しいのか分からない、有耶無耶の決着だ。

そして「問題は解決したのだから、未来の協力について話し合いましょう」と、気持ち悪いスリ寄りの開始となる。

盗んだ島を守るための逆攻勢

ハンナラ党の許泰烈（ホ・テヨル）最高委員が「対馬も韓国領」と提起したのは2008年7月の党最高委員会議の席だった。

ハンナラ党とは、李明博政権の与党で、朴槿恵政権ではセヌリ党に党名を変えた。

文在寅政権の下では、野党第1党の自由韓国党。そして20年2月、保守合併で未来統合党になった。

誤解のないように述べておくが、「党最高委員」とは、党のトップではない。党の執行ラインでもない。自民党でいえば、総務会の総務といった感じのポストだ。それでも「党最高委員」とは……韓国型インフレ職名だ。

韓国企業と接するビジネスマンは、彼らが差し出す名刺の肩書を見て、日本流に勝手解釈してはいけない。韓国では、靴磨きをしているアンチャンまで、従業員もいないのに「○○衛生企画　社長」といった名刺を持っている。

逆の笑い話もある。ある韓国紙の東京特派員は、当時の総理府管理室長を政府高官と思い込み、彼の茶飲み話を「日本政府高官によると……」と報じていた。総理府管理室の職務は「総理府のその他の部局が管掌しない業務」。庁舎の管理が大きな職務だった。

が、総理直属の役所である総理府、そこをマネージメント（管理）する集団のトップと考えれば、間違いなく「日本政府高官」となる。

本筋に戻る。

許泰烈は内務官僚出身で、朴槿恵政権では初代の大統領秘書室長に任命された。韓国では珍しい能吏タイプの政治家だ。

彼が「対馬も韓国領」と提起した理由は、こういうものだ。

「独島は韓国の領土と主張するより、対馬も韓国の領土と主張するのが効果的な対応方法だ」（中央日報08年7月16日）。

日本が竹島（韓国名・独島）領有権を主張して、攻勢に出てきている。それに対して「独島は韓国の領土だ」と守勢一方に回っているのは得策でない。

「日本こそ韓国の領土である対馬を不法占拠している。対馬を返せ」と逆攻勢をかけることが戦術的に有効だ――と言っているのだ。

まさに「泥棒と言われたら、お前こそ泥棒だと言い返せ」の処世訓そのままだ。

『魏志倭人伝』は、倭国の地として対馬を記述している。

『朝鮮王朝実録』には、王が「古い書物に対馬はわが領土と書いてあった」と述べたことが記録されている。が、そんな書籍は現存しない。書籍の表題すらも『王朝実録』には出てこない。

そればかりか、『王朝実録』には「日本国対馬」の表現が二百カ所以上も出てくる。

が、そんなことは韓国人にとっては、どうでもいい。盗んだ島を守るために、「日本こそ対馬を盗んでいる」と喚きたてることが重要なのだ。

韓流炸裂のレーダー照射事件

こうした韓国型の「ケンカの定石」を頭に入れて、18年12月に発生したレーダー照射事件を見ていこう。

事件は18年12月20日午後3時頃、日本の排他的経済水域（EEZ）内で発生した。韓国の駆逐艦「広開土大王」が、海上自衛隊のP1哨戒機に向けて、火器管制用レーダーを照射したのだ。

火器管制用レーダーはミサイルと直結している。だから、その照射とは、リボルバー拳銃で言えば、相手に銃口を向けただけでなく撃鉄を起こしたに等しい。

日本も韓国も採択している海上衝突回避規範（CUES）は、他国の海軍同士（航空機を含む）が洋上で遭遇をした場合の規範を定めている。

CUESは火器管制用レーダーの照射を禁じている。それを破ったら戦闘開始となってもおかしくはない。

ソウルの日本大使館は翌21日午後、韓国の国防省と外交省に抗議した。これに対して韓国外交省は「抗議したという事実」そのものの公表を控えるよう要請したとされる。つまり、事件そのものを「なかったことにしてくれ」ということだ。

少なくとも韓国外交省には、これが明るみになったら大変なことになるとの認識はあったのだろう。

韓国の駆逐艦によるP1哨戒機に対するレーダー照射の事実は、21日夜になって、日本の防衛相が緊急記者会見して明らかにし、「不測の事態を招きかねない極めて危険な行為」「韓国側に抗議して再発防止を要求した」と述べた。

それにしても、24時間以上すぎてから「緊急の抗議」会見とは何だろう。

これは憶測だが、防衛省首脳部は、韓国側の要請を受け入れて、事件を握りつぶすつもりだったのではあるまいか。何しろ防衛省の上層部や、トップクラスにいた自衛隊OBには、韓国に何度も煮え湯を飲まされても、信じられないほどの〝親韓情緒〟が溢(あふ)れているのだから。

夜の会見だったが、韓国国防省は素早く対応した。国防省担当記者に携帯電話でメッセージを送った。

その内容は「韓国軍は、通常の作戦活動中であり、作戦活動の間レーダーを運用したが、日本の海上哨戒機を追跡する目的で運用した事実はない」「今後、日本側に誤解がないように十分に説明する」（聯合ニュース18年12月21日）というものだった。

つまり、レーダー照射の事実は認めたが、謝罪の言葉はない。とりあえず〝犯意〟を否定したのだ。

政権ベッタリの新聞ハンギョレ（18年12月23日）や、イーデイリー（同）は、軍関係者の発言として「当時は気象が悪く波が高かった」として、（遭難船の）捜索のためには航海用レーダーだけでなく、あらゆるレーダーを使わざるを得なかったと強調している。

聯合ニュース（同）は「船舶捜索のためのマニュアル通り、航海用レーダーと射撃統制レーダーをフル稼働していた」と。

当初は「通常の作戦活動中」としていたのに、「（遭難）船舶の捜索」となった。韓国国防省はどうやら〝北の船舶を捜していた〟という事実を隠したかったのだ。

そもそも火器管制レーダーは照射幅が狭くて、広い海洋の捜索には全くの不向きだ。

有耶無耶にする術

さまざまな疑問を一挙に解決するような〝答〟が韓国側から発せられた。

12月24日の韓国軍合同参謀本部の記者会見だ。

その骨子は▽海上自衛隊の哨戒機が、韓国駆逐艦の真上を通過する「特異な行動」を取ったため、レーダーに付随した光学カメラを回して監視した▽カメラを作動させると、レーダーのアンテナも動くが、電子波の放射は一切なかった——というものだ。「火器管制レーダーも照射していた」から、「照射は一切なかった」に、公式の説明が180度変わったのだ。

不思議なことは、韓国のマスコミが当局の公式発表や、それを補強する関係者のコメントを淡々と伝えるばかりで、「なぜ180度変わったのか」との疑問を投げかけないことだ。

日本側は逐一反論した。証拠映像の開示もほのめかした。実務軍人同士のテレビ会談もあったが、水掛け論だった。

防衛省幹部は同日、照射を受けたことを示すデータが証拠として残っている」ことを強調し、「言い逃れはやめるべきだ」と韓国軍の姿勢を強く批判した。

しかし「韓国型のケンカ定石」からすれば、対立する相手と話し合う場合には、相手からいかなる証拠を突き付けられても、それを認めることはないのだ。

相手から、いかに嘲笑されようと、真顔で〝わが正しい主張〟を曲げないことで、「話し合いは平行線」、すなわち引き分け・有耶無耶を目指すのだ。

こういう相手と「真実の探求」を目指す話し合いをすることは、意味がないのだ。彼らは、話し合いをしたことをもって「われわれは真摯に話し合いに応じた」「しかし相手は、われわれが納得するだけの証拠を提示できなかった」と主張するだけだ。

日本人独特の「それは解るけど……」といった発言があれば、翌朝には「日本側は、われわれの主張に理解を示した」と始めるのだ。

ここに至っても「海軍の軍人同士で話し合うべきだ。そうすれば、すぐに解決する」などと主張した自衛隊ＯＢとは、「話し合い解決＝至高」とする日教組教育の被害者だとしても、現実には「韓国の工作員」の役割を果たしたとしか言いようもない。

そもそも、哨戒機に対するレーダー照射とは、海軍の軍人同士が密室の話し合いで納得し合えば終わりという次元の問題ではない。

防衛省上層部の〝親韓情緒〟

12月25日、防衛省は「（電波の解析の結果）火器管制レーダー特有の電波を一定時間、複数回受けたことを確認した」「海自機は韓国の駆逐艦から一定の高度と距離をとって飛行していた」「緊急周波数で韓国海軍艦艇に向け英語で3回呼び掛けた」と発表した。確実な証拠があるということだ。

日本人の普通の感覚からしたら、ここで「完全に勝負あり」だ。しかし、韓国型のケンカ定石に「勝負ありにつき投了」はない。

12月27日には、韓国の「国防省・戦備態勢検閲団」という恐ろしい名称の組織が、広開土大王艦のレーダー運用に「問題はなかった」「火器管制レーダーは稼働していなかった」という結論を下した。

それを受けて、韓国SBSテレビは「日本の言い掛かりは完全な横車か、広開土大王艦の他のレーダー波を（火器管制レーダーと）誤解したことから始まった可能性が高いのです。日本は自分たちの話が正しというなら、確保しているという証拠を公開すれば良いのです」と、勝ち誇ったように報じた。

これに対して、防衛省は12月28日、当時の状況を記録した映像の開示に踏み切った。

ご覧になった読者が多いだろうが、記憶を呼び覚ますため、時事通信の配信記事（18年12月28日）を見よう。

――映像は全体で約13分。防衛省のホームページで公開した。公開された映像によると、約５キロ離れた駆逐艦から哨戒機が最初の火器管制レーダー照射を受けた。搭乗員が「ＦＣ（火器管制レーダー）コンタクト」と知らせたのを受け、機長は駆逐艦の武器が哨戒機に向いているかを確認するよう指示。その後、哨戒機は退避行動を取った。

約３分後に２度目の照射を探知。駆逐艦と哨戒機の距離は約８キロだった。哨戒機は無線で駆逐艦に向け、英語で「貴艦の火器管制レーダーがわれわれを指向したことを確認した。貴艦の行動の目的は何ですか」と３回呼び掛けたが、応答がなかった。

搭乗員が「めちゃくちゃすごい音だ」と電波の強度に驚く声や、「（駆逐艦の）砲はこちらを向いていない」といったやりとりなど、現場の緊張感が伝わる映像となっている――

改めて「勝負あった」と多くの日本人が思った映像だが、実は防衛省は開示に抵抗していた。

——防衛省は当初、映像公開について「韓国がさらに反発するだけだ」(幹部)との見方が強く、岩屋毅防衛相も否定的だった。複数の政府関係者によると、方針転換は27日、首相の「鶴の一声」で急きょ決まった(時事通信12月28日)

これこそ、先に触れた防衛省上層部の〝親韓情緒〟だ。首相の指示がなかったら、防衛省は映像を開示しなかった可能性が高いのだ。

こうした〝親韓情緒〟が、彼らが韓国を訪問した際に受けた〝濃密接待〟に由来するものではないと私は願うばかりだ。

防衛省が映像を開示しなかったなら、韓国の政権は「日本は証拠もないのにイチャモンを付けてきた」と国際社会に向かって大宣伝していたことだろう。

レーダー照射は哨戒機を追い払うため

映像を見れば、海は凪(なぎ)だった。韓国マスコミが、韓国軍関係者の発言を引用して何度も伝えた「悪天候で波が高かった」とは大嘘だった。

韓国側が当初、救助のため、あらゆるレーダーを使って捜索していたと説明した北の船は、海洋警察の警備船と海軍の駆逐艦のすぐ近くにいた。捜索のためのレーダー照射など、既に必要のない位置関係だった。

となると、レーダー照射は何のためだったのか。

日本の哨戒機を追い払うためとしか考えられない。

なぜ追い払うのか。

見られてはいけない作業があったからではないかと疑わざるを得ないではないか。

韓国側は当初、「通常の作戦活動中だった」と言い、その後は「人命救助のための活動をしていた」と強調した。

日本のＥＥＺ内で人命救助活動をするのなら、日本の自衛隊や海上保安庁に協力要請があって然るべきだ。が、なかった。

北朝鮮の漁船には無線の設備がないのが普通とされる。だからだろう。海上自衛隊も海上保安庁も、遭難・漂流中だったという北朝鮮の船からのＳＯＳ信号を傍受していない。当然のことだが、韓国も傍受できていない。すると韓国はどこから遭難情報を得たのか。

情報の正確さと分析の点で、日本の韓国ウオッチャーに定評がある韓国人のブロガー「バンダービルド」氏が述べている。

――12月24日午後、あるメディア（ニューデイリー）は興味深い記事を掲載した。記事の一部はこうだ。

――国防省は「人道レベルの救助作戦対象の北朝鮮の木船の情報を誰から受けたのか」という質問に「お答えできない」と答えて、気がかりな雰囲気をかもし出し……韓国海軍がここにいた北朝鮮の木船の情報をどのように知って出動したのかが、今回の議論を解決する鍵となる可能性があるように思われる――

次から次へと、韓国の駆逐艦の「異常な行動」に対する疑問が湧いてくる。

日本が映像を開示するや、韓国国防省は「一方的な内容を盛り込んだ映像を公開し、事実関係をごまかしている」との報道官声明を発表した。それは「人道主義的な救助活動に集中していた我々の艦艇に、日本哨戒機が低空威嚇飛行をしたのは友好国として極めて遺憾」とまで述べている。

韓国紙に登場する良識派の日本人

もっとも日本にも、「映像は我が方（日本側）言い分よりも、韓国側の緊迫した一触即発の状況が良く分かる」という文をツイッターにアップした元参議院議員がいる。

小野次郎という人物だ。警察官僚で、小泉純一郎首相の秘書官を務めた。彼のツイッター文面は韓国紙に大きく取り上げられた。

韓国紙としては、この問題に関して、日本に有力な味方は彼しか存在しないから、彼を〝大物政治家〟に仕立てたのだろう。

こと「対日」となったら、日本政府の方針に異議を唱える日本人は、共産党の議員であろうと、奇行癖満載の人物であろうと、韓国内の世論を高揚するために利用する。韓国マスコミの常套手段だ。

だから、韓国の新聞だけを読んでいたら、日本の社会とは「極右少数派の安倍一派」の独裁横暴に対して、「多数の良識派」が抵抗しているかのような構図になる。

「多数の良識派」の代表は、和田春樹（東大名誉教授）であり、鳩山由紀夫だ。日本の若者は和田春樹など知るまい。「横田めぐみさんが拉致されたと断定するだけの根拠は存在しないことが明らかである」と述べた人物だ。

政権ベッタリ新聞のハンギョレは、「アンチ嫌韓」の動きなら、新宿駅前で開かれた小規模集会まで丁寧に報道する。

嫌韓の言論を封じ込めようとする国策に沿った報道と言えよう。しかし、その集会の参加者は200人……「木を見て森を見ず」どころか「葉を見て山脈を見ず」だ。日本の世論動向を「正確に」伝えようと思ったのなら、別の題材はいくらでもあろうが……。いや、彼らが求めるのは「正確さ」ではない。「わが国策プロパガンダに適合する材料」なのだ。

それを知りつつ、何らかの目的をもって、あえて利用される日本の政治家、文化人、ジャーナリスト、芸能人とは、韓国の対日情報心理戦の中で「結果として韓国の対日工作員」の役割を演じているのに他ならない。

国技「謝罪要求」発動

年が明けた19年1月2日、韓国国防省は「日本はこれ以上、事実を歪曲する行為を中断し、人道的救助活動中だった韓国艦艇に対して威嚇的な低空飛行をした行為を謝罪しなければならない」とする声明を発表した。

韓国の国技ともいうべき「謝罪要求」が出るまでの経緯を整理してみよう。

悪天候下での捜索だったので、あらゆるレーダーを稼働させざるを得なかったが、日本の哨戒機を狙って照射したのではないと嘘を吐いた。これは〝犯意の否定〟だ。

次は、レーダー照射そのものがなかったという居直り型の大嘘だった。

そして、日本の哨戒機こそ「威嚇的な低空飛行をした」として謝罪の要求。「事実を歪曲する行為」は、どちらがしているのか問いたいところだが、これこそ「泥棒と言われたら、お前こそ泥棒だと言い返せ」の展開だ。

そして韓国国防省は1月4日、日本の映像開示に対抗する形で、「韓国側の映像開示」に踏み切った。

が、その内容の酷さ。４分半ほどの映像のうち10秒ほどを除いたら、日本が公開した映像のパクリだ。そのままの部分もあり、加工した部分もある。そしてＢＧＭが流れ、効果音が入れてある。

韓国軍合同参謀本部は12月24日の記者会見で「海上自衛隊の哨戒機が、韓国駆逐艦の真上を通過する〝特異な行動〟を取ったため」と発表した。

それならば、哨戒機の腹が見えるような、迫力あふれる映像があるはずだが、それがない。

独自の映像は、遥かかなたの上空を飛行する哨戒機の姿で、画像に赤丸を記さなければ、どこを飛んでいるかも分からない代物だった。

こんなものが「哨戒機の威嚇飛行」の証拠になるのか。

サムスン電子が特許侵害で訴えられるや、標準特許を持ち出して「われわれこそ特許を侵害されていた」と逆提訴するのと同じ手法だ。第三国に向かって、「われわれも証拠を付けて訴えている」と言える根拠をつくることが重要であり、証拠の中身などどうでもいいのだ。

お粗末映像を出しながら、韓国側はさらなる実務者協議の呼びかけも忘れなかった。「われわれは話し合い解決を求めている」との姿勢のアピールであり、特許で訴えられた韓国企業が逆提訴をするや和解交渉を呼びかけるのと同じ算段だ。

早速、これに呼応した海上自衛隊のOBがいた。

稲田朋美・元防衛相とともに、日本のインターネットテレビで「海軍参謀総長が出てくれば〝ごめんなさい〟の一言で終わっていた」「キーワードは実務協議に戻るということ。そうすれば、ちゃんとした話し合いができる」と述べた。

その韓国海軍の沈勝燮（シム・スンソプ）参謀総長は19年1月7日、駆逐艦「広開土大王」の所属部隊を訪問し訓示した。

これを伝えた聯合ニュースの記事（19年1月7日）が面白すぎる。

――「すべての艦艇は作戦を遂行しながら様々な状況を同時に管理することができるよう、能力を備え、作戦の完全性を保障しなければならない」と強調した。沈参謀総長のこのような発言は「広開土大王」が海自の哨戒機の威嚇飛行に対し、適切な対応をしなかったとの批判を意識したものと受け止められる。

武装した軍用機が艦艇に向かって近づく行為は危険であり、接近しないように警告するべきだったが、同艦は海自の哨戒機に対し、そのような措置を取らなかった――つまり、事件の本質は「海自の哨戒機の威嚇飛行」にすり替わり、「レーダー照射をしなかった」という嘘が事実となり、「しなかった」ことが批判されているのだ。

記事には、ささいな嘘もある。「武装した軍用機」という表現だ。哨戒機は武装していない。

海自ＯＢは、この参謀総長が日本に謝罪すると思っていたのだろうか。

一緒に出演した稲田元防衛相は「（韓国軍からは自衛隊に）留学生も来ているし、韓国軍と自衛隊の関係はむしろ良好だ」と、なんとも頓珍漢なことを話した。稲田は１年足らずの防衛相在任中に、よほど周囲から〝親韓情緒〟を吹き込まれたのだろう。

韓国人としての正しい生き方とは

それにしても、あのお粗末きわまる映像で、韓国の国民は納得したのだろうか。

実は納得していなくても、「あれを見たら日本の非は明らかだ」と反応することが〝韓国人としての正しい生き方〟なのだ。

いや、見ていなくてもいい。「日本の非は明らかだ」と声を張り上げるのだ。

日本との争いごととなったら、そういう世論層が分厚くあるから、客観的証拠能力なんて、どうでもいい。韓国軍が、笑いものでしかない動画や写真を出して「低空威嚇飛行をされた証拠だ」と叫ぶわけだ。

中央日報（19年1月8日）の論説委員が、あまりにもアッサリと書いていたのに驚かされた。

「韓日間の葛藤事案に関する限り、韓国には思想と良心の自由、表現の自由が事実上存在しない」と。

だからといって、この論説委員が「反論の映像はお粗末」と書いているわけではない。なにしろ自由がないのだから。

韓国では国軍が〝聖域〟だった時期もある。しかし、いまは違う。レーダー照射事件は日本との争いごとだったからこそ、韓国のマスコミは軍発表の大嘘を垂れ流しにした。が、日本が絡まなければ「軍の嘘」を追及する。

例えば、19年6月15日早朝に発覚した北朝鮮漁船の亡命寄港事件だ。

北朝鮮の漁船は北方限界線（ＮＬＬ）の南方１３０キロにある江原道三陟港に自力で入港した。亡命者の１人は、通りかかった韓国人に亡命してきたことを告げ、先に脱北して韓国に住む親戚に連絡を取りたいからと携帯電話を借りた。

この一部始終を国家情報院の要員が本部に知らせた。それよりも早く海洋警察（海上だけでなく港町の警備も担当する）が入港した北朝鮮漁船を見付けて、本部だけでなく江原道の公共機関に連絡していた。

が海軍は、そんなことも知らずに、「沖合を漂流しているところを確保した」と発表した。

海軍としては、ＮＬＬを突破され、少なくとも１３０キロを航行してくる船をまったく発見できなかったとあっては責任問題になる。そこで「沖合で確保」と発表したのだが、既に海洋警察の連絡が各所に行きわたっていたから、すぐに嘘とバレた。

すると海軍は「当日は波高が１・５～２メートルあり、高さ１・３メートルの漁船は…」と始めた。

ところが、当日は波高0・2メートルだったことが明らかになった。すぐにバレる嘘を平気で言える〝タフネスな精神〟に感服するしかない。

もう既視感いっぱいだ。レーダー照射事件で「その日は荒天で…」と言った韓国海軍の嘘吐き体質を復習させてくれるような出来事だった。

この問題を追及された大統領府の報道担当責任者は「マスコミが報道したのが悪い」と逆切れしたのだから驚きだ。

韓国軍被害を受け続ける自衛隊

日本政府、防衛当局と自衛隊は、韓国軍のこうした体質に何度も接してきた。

それなのに、防衛省上層部や自衛隊の幹部OBが依然として〝親韓情緒〟の中にいることが、私には本当に不思議だ。

自衛隊と韓国軍の間で、どんなことがあったか、振り返ってみよう。

2005年1月、イラクに向かう多国籍軍の拠点基地でのことだ。韓国兵が自衛隊員2人に「友好の記念写真」を撮ろうと誘った。

自衛隊員はそれに応じた。韓国兵１人が真ん中に立ち、その両脇に自衛隊員が立ち、別の韓国兵が撮影した。

「友好の記念写真」だから３人とも笑っている。が、真ん中の韓国兵は「独島は大韓民国の土地です」と書いたボード（大韓民国の他はハングル書き）を高く掲げていた。

その映像は同年夏になって、韓国のネットに公開された。これから共にイラク入りしようという友軍に対する許しがたい裏切り行為だ。

防衛庁は、韓国の駐在武官に抗議した。武官は「個人の悪戯」と弁明したそうだが、許せる悪戯と、許されない悪戯がある。

日韓軍事情報保護協定（ＧＳＯＭＩＡ）の問題は次章で扱うが、19年８月に韓国が終了を通知してきたのは16年に発効した協定だ。

実は、12年６月に両国はＧＳＯＭＩＡを調印する運びになっていた。「運び」どころか、両国とも閣議で了解し、調印式だけが残っていたのだ。

その調印式の１時間前に韓国がドタキャンした。与党の実力者が外交省に「やめるべきだ」と電話し、駐日大使館は大使の調印式出席を取りやめたのだ。

「閣議了解事項」が閣議の了解もないまま反古になる——世界の外交史上、こんな事例があったのだろうか。

13年12月には、南スーダンで反政府勢力の攻勢が激化するなか、ＰＫＯとして派遣されていた自衛隊に、韓国軍が「反政府勢力が近づいてくるのに、銃弾が不足している」として、銃弾提供を求めてきた。

事は「外地で隣接配置されている〝友軍〟間での物資融通」では終わらない。日本には「武器輸出3原則」があり、ＰＫＯの間でも原則が適用されると解釈されていた。その日は天皇誕生日で休日だった。しかし、日本の政府は直ちに、「韓国政府の意思」を確認し、関係閣僚会議を開き、「緊急事態につき」として、銃弾提供を決定した。

ところが韓国のマスコミは「安倍政権が武器輸出3原則を破るためにした行為」といった悪意に満ちた論調を押し立てた。

通信社ニューシスの論説記事（13年12月24日）は、悪辣そのものだ。

この記事は、問題の本質を「強盗が刃物を持ってくるかも知れないから銃がある隣家に助けを求めるのは当然だが……右隣は私たちの家族を殺した前歴があるなら、どうすべきだろうか」と捉える。

そして「日本を人にたとえるなら、数十年間、町内で強姦と殺人を行い、他人の財産を奪取して奴隷として働かせた極悪非道者だ」と言いたい放題だ。

事実報道にも「嫌韓を助長するからヘイトだ」と騒ぐ日本のパヨクは、このニュースの記事をどう思うのだろうか。

こうした論調とは別に、「南スーダン派遣部隊に、なぜ充分な銃弾を持たせなかったのか」とする国防省への非難があった。

韓国国防省は、その非難から逃れるため「銃弾は不足していなかった」と公式論評した。

では、何のために銃弾提供を求めたのか。

今度は外交省が答えた。「韓国軍は南スーダンの不安定な政情と関連し、追加防御の意味で国連南スーダン派遣団（ＵＮＭＩＳＳ）本部に弾薬の支援を要請し、ＵＮＭＩＳＳを通じて支援を受けたというのがすべてだ」と。

「支援を受けた」はやがて「借りただけだから返す」となり、朝鮮日報（13年12月26日社説）は、借りた1万発の銃弾の値段はたった32万円５千にすぎないとして、日本を「恩着せがましい」と批判した。

その間、国防省も外交省も、日本に謝意表明することはなかった。

そして、済州島での国際観艦式。

これだけ煮え湯を飲まされ続けてきたのに、防衛省上層部や、幹部自衛官OBがいまだに〝親韓情緒〟の中から発言することが、私には不思議でならない。

彼らの〝親韓情緒〟の根源を突き詰めていくと、だいたいは「私が知っている韓国の将軍は日本をよく理解しており、心から信頼できる」というあたりに落ち着く。そして地政学上の韓国の重要さを強調して、日米韓連携の重要さを語る。

では問う。心から信頼できる韓国の将軍たちが、韓国軍の反日暴走にブレーキを掛けた実績は1度でもあるのか。

韓国という大リスク

韓国が日本にとって地政学上、重要な位置にあるとの認識には全面同意する。しかし問題は、そこを支配する政権が、いまや公然と「親中・親北・反米・反日」の政策を取っていることだ。

文在寅政権は17年10月、中国に対して「三不の誓い」を捧げた。①米国の高高度ミサイル防衛網（ＴＨＡＡＤ）を追加配備しない②米国のミサイル防衛網には参加しない③日米韓を軍事同盟に発展させない――というのが、その骨子だ。

この時点で、日米韓の協力体制は三角（△）から、底抜け三角（∧）に変わった。同年11月には、米空母を中心とする日米韓の合同訓練への参加を韓国は拒否した。

18年９月には南北軍事合意が成立した。韓国にとって北朝鮮は「主敵」どころか「友好国」になったのだ。

韓国軍は「主敵」の概念を「韓国に脅威を与えるあらゆる勢力」に変えた。

竹島の領有権を主張し、「哨戒機が威嚇的飛行」をする国は「主敵」ということになる。

文正仁（ムン・ジョンイン）統一外交安保特別補佐官とは、文在寅大統領の〝本音の代弁者〟と言われている人物だ。実際に、彼が提唱したことが、タイムラグをもって「大統領発言」になったことは、やたらと多い。

文正仁は19年９月、「南北関係最大の障害物は国連軍司令部」と述べただけでなく、「中国が韓国と日本の間の重要な仲裁者になり得る」「これまではアメリカがその役割をしてきたが、もう中国がそのような役割を果たす時だ」と発言した。

文在寅政権は底抜け三角（△）連携の頂点を変えようとしているのか。いや、日米の連携は強固だから、動くのは韓国だけだ。

そして19年12月には「在韓米軍が撤退したら、中国が韓国に『核の傘』を提供し、その状態で北朝鮮と交渉する案はどうか」と述べた。

中国の属国になりたいのだ。中国を頂点に据えて韓国と北朝鮮が連携する姿こそ、韓国の左翼政権が目指す東アジアの理想図と見てよい。

日本は、韓国を「自由民主主義の国」とする誤認、「韓国の軍上層部は信頼できる」といった幻覚を一掃して、「韓国というリスク」に備えなければならない。

第6章　ＧＳＯＭＩＡ廃棄決定の裏側

調印ドタキャン事件を忘れたか

２０１８年10月の済州島での国際観艦式への海上自衛隊の参加拒否、同年12月の海上自衛隊哨戒機へのレーダー照射事件、それに続いて起きた日韓の軍事部門での軋轢が19年８月の韓国の政権による軍事情報包括保護協定（ＧＳＯＭＩＡ）の終了通告だった。

これは、文在寅政権下の韓国の行方を暗示する最大級の事件だ。既に各種マスコミで様々な角度から取り上げたので、ここでは日本のマスコミが見落としていた視点を中心に紹介する。

と言っても、実のところ私は、ＧＳＯＭＩＡそのものについて、ほとんど知らない。どんな情報が、どんなツールで伝達され、その第三国への漏洩防止がどんな措置により担保・検証されるのか。

自衛隊の内部でも、情報部門の中のごくごく少数しか知らないことだと思う。

それでもＧＳＯＭＩＡをめぐる韓国内の葛藤状況なら、ある程度は承知している。

私が知るところ、その葛藤状況はまさしく「ディスイズ・コリア」であり「ＯＩＮＫ（オンリーイン・コリア＝韓国でしかなり得ないこと）」だ。

19年8月のＧＳＯＭＩＡ終了通知について、日本のマスコミにも韓国のマスコミにも大量の記事が出た。それらに目を通していて、どうにも不思議だったのは、12年6月の「日韓ＧＳＯＭＩＡ調印のドタキャン事件」に触れた記事がほとんどなかったことだ。

両国は12年６月29日午後４時から、東京で調印式を開くことで合意していた。国と国との協定だから、両国とも閣議（韓国では国務会議という）決定を経た案件だ。

ところが調印式の１時間前になって、韓国側が「延期してくれ」と申し入れてきた。とりあえず延期したが、延期のまま両国の閣議決定を経た案件が「なかったこと」になってしまった。国際政治史上、あり得ない醜態だ。

この時、韓国政府はなぜ、日本とＧＳＯＭＩＡを締結しようと決断し、はたまた何故をもって合意を反故にしたのか。その経緯を見ていくと、19年8月の終了通告への理解の度も深まる。

〝神聖権力〟となった反日ゆえに

日米、米韓の間には以前からＧＳＯＭＩＡが結ばれていた。しかし日韓の間にはなかった。だから日米韓の軍事情報体系は底抜け三角形（∧）だった。

韓国が米国に提供した軍事情報を、日本は知りえない。もちろん、日本が米国に提供した情報も、韓国は入手できない。なぜならＧＳＯＭＩＡは「保護協定」であり、第三国への漏洩防止が義務付けられているからだ。

これでは不便だ。米軍は底抜け三角形（∧）の底部を連結して正三角形（△）にするよう、かねて日韓両国に要請してきた。

ドタキャン事件の前まで、韓国では以下のような構図が流布されてきた。

――米国の要請に対して日本側は乗り気だが、韓国が消極的だ。日本は脱北者がもたらす情報を韓国から入手したいのだ。ところが、韓国側には日本から軍事情報を得なければならない必要性はない。

しかしドタキャン事件後、金滉植（キム・ファンシク）首相は、日韓ＧＳＯＭＩＡの必要性を改めて強調し、その締結交渉について「２００７年（筆者註＝盧武鉉政権の時代）に韓国国防省が日本に正式に提案した」と国会答弁で述べた。

実は、韓国の方が前々から日本とＧＳＯＭＩＡを締結したかったのだ。

韓国は当時、ロシアも含めて20数カ国とＧＳＯＭＩＡを締結していた。それだけ

「ひな型」があるのだから、協定の案文づくりに苦労することもない。それなのに、07年に交渉を開始して12年まで何をしてきたのか。

実は、国内の反日世論の手前、「日本と軍事協定を結びます」と発表できないまま足踏みを続けるばかりだったのだ。

「韓国の反日」は、終戦と同時に発生した。それ以前にも独立を主張する民族派はいたが、極々少数に過ぎなかった。

大部分は「良き臣民」だったから、志願兵は50倍もの倍率になったのだ。しかし終戦と同時に、みんな「反日だった」ことになってしまった。「そういう民族性なのだ」としか思いようもない。

李承晩以来の歴代政権は「反日」を国民統合の「隠れた象徴」にした。朴正熙政権とて例外ではない。

いわば歴代政権が「反日」を育んできた。そして歴代政権は「国内の反日世論」を対日交渉の武器として利用してきた。

が、それはいつしか政権がコントロールできない〝神聖権力〟になってしまっていた。

〝神聖権力〟には、理を尽くして説明しても通じない。

愛国者の凄まじいコメント

話は19年夏に飛ぶ。

韓国の与党は20年東京五輪に泥を塗ろうと、「放射能五輪」という悪辣宣伝工作を開始した。

これに対して、ソウルの日本大使館が韓国語のホームページに、日本各地とソウルの放射線量の推移を示す欄を設けた。

韓国のメディアは、日本大使館がホームページで日韓の放射線量を知らせるページを開設したことを報じた。その記事には直前の数値も載っていた。

韓国は花崗岩地質であり、花崗岩はラドンを発生する。だから、韓国の数値の方が日本より高い。科学的に言えば当たり前のことだ。

しかし、韓国人一般は、福島の原発事故があったのだから、日本の方が相当に高い数値にあると思い込んでいる。そうした世論の大気流があるから、韓国の科学者は誰も「韓国の方が高いのは当たり前のことだ」とは言わない。言ったら、ネットで袋叩きになる。下手をしたら、「親日派教授」として大学を追われる。

そんな状況であるから、日本大使館のＨＰを紹介した記事に載った放射線量は「大嘘に決まっている」となり、凄まじいネットコメントが付いた。

「日本人たちよ、日本政府がこんな嘘の数値を出していることをどう思っているのか。安倍を殴り殺したいとは思わないのか」

純朴なる愛国者の怒りの典型だ。

「全世界の放射能専門家たちが、福島は今後１００年以上、人が生活できないと言っている」

「測定地域を予め浄化作業してから測定していると現地の日本人が証言していた」

「韓国の自然放射能と、人体に有害なセシウムなどが含まれた福島の放射能は、人体に及ぼす影響が同じではない」

「日本では（放射線量の高さを隠すため）民間人が放射能を測定できないよう法律まで作って禁止している」

こんな大嘘コメントが多数の「共感」を集めてしまうのだ。

ここでも、例の「心理戦団」が活躍しているのかもしれない。

ともかく反日で燃える韓国人は、こうした大嘘に接するや、さらに燃焼温度を上げて、反日種族の狂宴を楽しむ。その時、冷静な説明も、科学的知見の紹介も、まったく消火剤にはならないのだ。

「日本と軍事情報の保護に関する協定を結ぶための交渉を始める」と発表したら、どんな世論の攻撃を浴びるか、それは条理を尽くして説明しても無駄であることを韓国の政権は分かっていた。

しかし北朝鮮の核兵器、ミサイル開発は急テンポだ。そこで11年にＧＳＯＭＩＡを締結しようとした。が、反対世論が盛り上がって閣議に案件を提出することもなく断念した。

韓国の職業的反日運動家も、ＧＳＯＭＩＡがどんなものなのかは、私と同様に知らないようだ。

それでも「領有権問題で武力紛争が起こるかもしれない日本と軍事協定を結び、韓国が得た貴重な軍事情報を日本に渡すとは、とんでもない売国行為だ」との主張は、分かりやすかった。

「日本には北朝鮮情報がない。韓国は豊富に持っている。ＧＳＯＭＩＡを結ぶと、日本にただで情報を与えるばかりになる」とは、韓国内ではそれなりに説得力を持つ。しかし「ＧＳＯＭＩＡは、日本の自衛隊が韓国に進出する根拠になる」とは、もう滅茶苦茶な主張だ。

ところが、こうした大嘘が「情報政治の国」では、国民の心を捉えるのだ。そうした中で、「日本が積極的だが、韓国は消極的」との偽りの認識が広まったのは――いや、おそらく当局が広めたのは――「日本が米国とともに頭を下げて懇請するから仕方がなく結んでやったのだ」とする幸せな終着点を夢想していたからではないのだろうか。

11年に断念した後、韓国政府はこの案件の所管を国防省から外交省に代えた。「国防省が推進する軍事協定」ではなく、「外交省が取り組む外交案件」ということにしたのだ。世論対策の一つだ。

調印を隠そうとした韓国政府

ところが、北朝鮮の核兵器開発が進み、ミサイル発射が頻発し、もはや反日世論に気を使ってＧＳＯＭＩＡ推進の足踏みを続けることができなくなってきた。

韓国がＧＳＯＭＩＡ締結を閣議決定した後になるが、中央日報（12年6月28日）は、こう報じている。

――韓国政府関係者は「対北朝鮮抑止力のために情報衛星、早期警報機、対潜水哨戒機など日本の情報力を活用する必要がある」と説明した――

自前の偵察衛星を持たない韓国としては、どうしても日本の衛星情報がほしいということだ。「日本から得る情報はない」とは大嘘だったのだ。

そうだとしても、「日本の情報力を〝活用〟する」とは何だ。

韓国とは、どんなに困った場合でも、日本に限らず外国に対しては、こういう姿勢でいる国なのだ。

前にも述べたが、韓国人にとって、他人とは利用すべき対象だ。韓国にとって外国とは、利用すべき対象でしかない。韓国人が言う「協力」とはギブアンドテイクではなくテイク一方、「交流」とは押し売り一辺倒。

ＧＳＯＭＩＡについても、北の脅威が高まったと見るや、日本の情報能力を「活用してやろう」という姿勢で出てきた。これは軍事情報面での「用日論」なのだ。

韓国軍としては日本の情報が必要だとの判断は不変だが、政府の「反日世論を突破するのは容易でない」との判断も変わらなかった。そこで韓国政府は奇手を使った。韓国の国家意思決定の手続きは、日本とほぼ同じだ。案件は次官会議を経てから閣議にかけられる。

ところが、ＧＳＯＭＩＡを所管する外交省は次官会議に案件を提出しなかった。そして翌日の閣議に緊急案件として提出した。

それだけではない。閣議後の記者ブリーフィングでは43件の閣議決定案件を公表した。しかし「日本とのＧＳＯＭＩＡ締結を決定した」ことは発表しなかった。12年6月26日のことだ。

つまり国民に何も知らせないまま、協定に調印してしまおうとしたのだ。

それがバレて問題になり、調印1時間前のドタキャンとなるのだが、仮に調印するまでバレなかったとしたら、韓国政府はその後、どう事を運ぶつもりでいたのだろうか。

当然、日本側は発表し、それは韓国にも伝わる。そうしたら、「もう調印してしまったのだから、文句をいっても駄目だよ」と開き直り、世論と衝突する度胸を固めていたのか。

それとも「そんな協定を締結した事実はない」「日本政府の虚偽発表に抗議する」と大嘘を吐き続けるつもりでいたのか。

あるいは閣議を「部外秘」で通した後のことは考えていなかったのか。

そもそも韓国の場合は、閣議で「部外秘」を確認したところで、絶対に漏れる。韓国の閣議は、マイクを使って話す。閣僚以外の陪席者がかなりいるため、広い会議室で開くからだ。

閣僚の中には、時の李明博大統領に反発している者もいるだろう。陪席する高級官僚の中には、北朝鮮に忠誠を誓っているスパイがいるかもしれない。

しかも李明博政権はレイムダック状態だった。秘密が守り通せるはずがなかった。だから政府が何の発表もしていないのに、反日勢力が「締結決定の撤回」を要求して街頭運動を始めた。

真っ先に動いたのが、慰安婦への日本の謝罪・補償を要求する挺身隊問題対策協議会（挺対協＝現正義記憶連帯）だったことは興味深い。

挺対協は従北派が牛耳る組織だ。日韓の軍事連携の強化は、北にとっては脅威の増大だ。挺対協の幹部にとっては、慰安婦問題より、ずっと重大な案件だったのだ。

27日夜になって外交省は「26日の閣議で決定した。29日にも東京で外交当局者間の調印が行われる」と認めた。

保守系紙は手続き上の問題を指摘しながらも、「歴史や慰安婦問題と安保利益は切り離して考える必要がある。歴史や独島問題は別に対応し、協力すべきことは協力するというのが正しい姿勢だ」（中央日報6月29日社説）などと、締結容認の姿勢を打ち出した。

思えば、この当時の中央日報は、まだ保守系紙に分類されていたのだ。その後は朴槿恵政権打倒に走り、文在寅政権発足後は「日和見新聞」「政権が怖いよの腰抜け新聞」だ。そして系列のケーブルテレビＪＴＢＣは明確な左翼・反日路線の先導マスコミだ。

翌28日、いくつかの反日団体が「締結阻止」の街頭行動に出たが、いずれも小規模だった。大きな運動体の起動には、それなりの時間が必要だ。閣議決定を伏せたことで、起動時間はさらに遅れた。

野党は閣議決定を公表しなかった重大な問題として、首相罷免を要求した。これに対して、与党スポークスマンは政府を擁護し、調印を支持するコメントを発表した。

悠長な動きだった。

このままなら「もう調印してしまったのだから……」の開き直りまで事が進むのかと思われた。

外交省は29日午前、「韓日情報保護協定署名予定」と題する報道資料を配布し、午後には韓国語と英語による協定全文を配布した。そのまま突き進むつもりでいたのだ。

ところが、そうはならなかった。

法治国家失格

朝鮮日報（12年6月30日）の記事から抜粋する。

――与党内では、27日と28日にはＧＳＯＭＩＡについて公式には何の議論も行われなかった――

――29日午前の役員会議で、２人の議員が「放置すれば、深刻な影響が残るかもしれない」と問題を指摘した――

――同日午後、数人の幹部が集まった席で（筆者註＝おそらく、この問題を話し合い意見が一致したのだろうが）、院内代表（国対委員長に相当）が外交相に電話をして「（調印は）国会で議論して決めるべきだ」と述べた――

これで調印を延期することが決まったというのだ。

次期大統領候補と目されていた朴槿恵は「国防第一主義者」であり、ＧＳＯＭＩＡ推進派だったが、閣議決定をひた隠しにしたことを「姑息な手法」と批判した。それが与党幹部を動かしたとも言われる。

真相は闇の中だが、閣議決定を公表しなかったことだけ見ても、民主主義国家として失格だ。そのうえ、与党が機関決定したわけでもないのに、院内代表の電話１本で、今度は閣議決定が吹き飛んでしまった。

「法治国家」「民主主義国家」として見ていたら、とうてい付き合いきれない国と言うほかない。

外交相の指示を受け、東京の韓国大使館は署名式の延期を申し入れた。「（署名式の）予定時刻まで1時間を切った段階だった」と朝鮮日報（6月30日）は伝えている。

日本の外務省は「本日の署名は行うべきであり、延期になったことは非常に残念だ」と韓国側に抗議した。

しかし、韓国外交省当局者は公式の記者会見で「日本は韓国政府の署名延期の申し入れに対し『理解する』との反応を示した」と述べた。もちろんのことだが、日本に対する謝罪の言葉もなかった。

それにしても、日本政府の抗議に対して、国内向けには「（日本は）『理解する』との反応を示した」と、平気で大嘘を吐ける神経。

19年のGSOMIA廃棄決定について、国内向けには「米国は理解した」と大嘘の説明をして、米国が「嘘だ」と否定するや、「これを機に米国との関係は一段階アップグレードされるだろう」という神経。

韓国の政権の〝大嘘を平気で吐ける神経〟だけは進化を続けている。

12年のドタキャン後、韓国では閣議決定を秘密にした「責任者探し」が始まった。所管省庁である外交省、「裏の所管省庁」である国防省、「裏の裏の企画者」とされる大統領府による責任の擦り合いだ。

そして朴槿恵政権になってから、〝責任者〟として外交省を去った（あるいは追われた）のが東北アジア局長の趙世暎（チョ・セヨン）だった。

その趙世暎が7年後の19年に、文在寅により外交省の第1事務次官に起用された。そして、16年になってようやく締結されたGSOMIAの廃棄通告に関わる。

ドタキャンをもう歪曲

韓国政府の高官人事は、思想性の調査から始まる。文政権の初期には「朴槿恵を嫌っているか、どうか」がまず吟味の対象になった。そうした調査を担当するのが大統領府の民情首席秘書官だ。「赤いタマネギ男」と呼ばれる汚れた極左のイデオローグである曺国が法相に任命されるまで占めていたポストだ。

外交省のいわゆるジャパンスクール（日本通の外交官）グループは「積弊清算」の名目で次々とパージされた。そのために設けられたタスクフォースの実務を取り仕切ったのが「部外者である趙世暎」だった。

パージ作業が終わってから、趙世暎は第1次官として復職したのだ。

日本のマスコミは、趙世暎のことを「韓国外交省内で唯一の知日派」と持ち上げている。当たり前の結果ではないか。彼が取り仕切るタスクフォースが省内の知日派をみんなパージしてしまったのだから。そもそも彼に、期待してはいけない。何しろ、極左の曺国のメガネに適った人物なのだから。

ドタキャンから3年半、北朝鮮は4回目、5回目の核実験を実施した。それに煽られたかのように、日韓両国はＧＳＯＭＩＡを締結するのだが、それを前にした聯合ニュースの配信記事（16年11月14日）を見て驚いた。

経緯を述べた部分だ。

「両国は２０１２年６月にＧＳＯＭＩＡを締結する予定だったが、日本と密室で軍事協力を進めたとの批判が韓国内で噴出し、締結直前に延期になった」

韓国の閣議での秘密処理が批判されドタキャンになったのに、わずか４年余で「日本と密室で軍事協力を進めた」との批判がドタキャンの原因になったと歪曲しているのだ。

もっぱら韓国の国内手続きの問題でドタキャンになったから、日本側が抗議したのではないか。それなのに、密室協議が日本との間で行われたとして、日本にも責任があるかのような話になっている。

こうした小さな歪曲が積み重ねられ、韓国の「対日ファンタジー史観」は肥大化していくのだ。

ボロボロのGSOMIA発効

朴槿恵政権は、崔順実（チェ・スンシル）問題が浮上して存亡の危機に立たされていた。しかも直前の世論調査は「ＧＳＯＭＩＡ締結に賛成31％、反対59％」（ニュース1、16年11月18日）だった。

それでも、朴槿恵は「安保・国防が第一」の信念を曲げず、所管を再び国防省に戻して国内手続きを進め、16年11月23日午前、韓国国防省で韓民求（ハン・ミング）国防相と長嶺安政・駐韓日本大使によりＧＳＯＭＩＡ締結の調印式が行われた。

が、これも平穏な調印式ではなかった。

まず、署名するのが韓国側は閣僚なのに、日本側は大使では「〝格〟が合わないという指摘」（ハンギョレ16年11月22日）が出た。

ドタキャンとなった12年の署名者は、日本側は外相、韓国側は駐日大使の予定だったことを知らないのか。「特命全権大使」の役職を何と心得ているのだろうか。

そして調印式の当日朝、何故だか分からないが、国防省が「協定の署名式は公開できない」と言い始めた。「それは日韓両国で合意したことだ」「国防省が撮影した画像を提供する」と。

国防省に集まっていた報道各社のカメラマンが怒り始めた。彼らは国防省の玄関からエレベーターまで、2列縦隊に並び、足元に撮影機器を置いて、全員が腕組みをした。異様すぎる光景だ。そこに到着した日本大使は、縦列の真ん中を通ってエレベーターに乗った。

ボロボロのGSOMIA発効だったのだ。

当時野党だった民主党は、もちろんGSOMIAに反対だったし、発効後も「議案の性格からいって国会の承認を得るべきだったのに、得ていないのだから源泉無効だ」などと主張した。

他の国とのGSOMIAは、ロシアとの協定を含めて、国会の承認手続きに付されていない。となると「相手が日本だから別だ」ということなのだろう。

GSOMIAは1年ごとの更新で、発効日の3カ月前までに一方が終了意思を通告すれば終了となる。だから17年、18年の更新時期に、文在寅政権の支持団体が「GSOMIA廃棄を」と要求したのに、政権が何もしなかったことが、むしろ不思議と言える。軍部の「GSOMIA必要論」が効いていたのだろう。

どんどん膨らむ被害妄想

しかし19年は、そうはならなかった。

最大の理由は、日本政府が打ち出した対韓輸出管理の強化（俗にいうホワイト国外し）だ。

至極簡単に言えば、兵器転用可能な戦力物資の輸出は「信頼できる国」（ホワイト国）に対しては自動的に承認されるが、そうでない国に輸出する場合は日本政府の許可を取らなくてはならない。韓国はホワイト国に分類されてきたが、①ホワイト国との間で2年ごとに開催する定期協議に3年も応じていない②最終ユーザーが不明の部分がある——ことから、ホワイト国から外すことになった。

日本の経済産業省は、ホワイト国から外す総括的な理由として「安保上の問題」を挙げた。

それに関連するのかどうか、東亜日報（19年7月16日）に奇妙な記事が載った。「駐韓日本武官に軍事機密流出、帰国措置」という見出し記事だ。

日本の駐在武官が、13年から17年の間に、韓国の国軍情報司令部の元幹部に金銭を払って機密文書を入手していたことが明らかになったという。19年1月、情報司令部の元幹部に対する判決があったというのだが、その記事がなぜ7月になって出たのか。

記事には、武官に渡った機密文書の題名がいくつも記されている。その最後に「対北制裁品目密搬入の動向」とある。

この「対北制裁品目密搬入の動向」は、日本でも報道された「戦略物資無許可輸出摘発現況　15年～19年3月」（韓国産業通商資源省の資料）とは別物だ。

ともかく韓国は、軍事転用が可能な戦略物資を密搬入し、さまざまな国に無許可輸出していることは、韓国政府の資料に明記されているのだ。

日本の輸出管理強化に対する韓国の反応が異常だった。

中国、台湾、タイなど東南アジア以東の国々はどこもホワイト国ではない。それでいて貿易関係に支障が出ているわけではない。

ところが韓国は、「半導体の製造に不可欠なフッ化ポリイミド、フォトレジスト、高純度フッ化水素の韓国向け輸出を日本が全面ストップしたので、このままでは韓国経済は倒壊する」とばかりに反応した。

例えば中央日報（19年7月2日社説）は「日本政府が半導体およびディスプレー生産に必須の材料3品目の対韓輸出を規制すると発表した」と、書き出しからして大嘘だ。「規制する」とは言っていないのだから。

そして「韓国企業は非常事態に陥った」「日本が韓国経済の急所を突いたも同然」と言い、「日本政府の報復措置はここで終わらない公算が大きい。先端素材の輸出制限が3品目に終わらず拡大するという懸念だ」と述べた。

洪楠基（ホン・ナムギ）副首相らは「歴史問題に対する日本の経済報復」との見解を示した。ここで言う歴史問題とは、慰安婦と徴用を指す。

慰安婦合意に基づき韓国に設置された日本出資の財団を、文在寅政権が解散させたこと。いわゆる徴用工に関して韓国最高裁が日韓基本条約・同請求権協定を覆す判決を下したこと。それらに対する報復と、勝手に「規定」したのだ。

そして正式にホワイト国から外されると、１０００を超える戦略品目が輸入できなくなるかのように騒ぎ出した。

精密部品や特殊素材の供給が途絶えたら、韓国の輸出産業はオールストップになる。だから日本の目的は、韓国経済を潰すことにある……被害妄想はどんどん膨らんでいった。

韓国経済が潰れた後は、日本企業が自衛隊とともに韓国に乗り込んできて、韓国を支配し搾取することになる……もう日本人から見たら〝お笑いネタ〟でしかない。

しかし、与党の対策チームの名称は「日本経済侵略対策特別委員会」。ホワイト国外しを「日本の経済侵略の始まり」と妄想しているのだ。

同委の崔宰誠（チェ・ジェソン）委員長は文在寅大統領の〝お友達〟とされている。彼の発言を紹介しておこう。

「日本発の経済大戦が現実のものとなるなら、日本は再び国際貿易秩序を崩壊させた『経済戦犯国』として記録されるだろう」

文在寅の意中を代弁しているのかもしれない。

こういう被害妄想の中で「対抗措置」として、政権主導で始まったのが、次章で述べる対日不買運動と、20年東京五輪に対する嫌がらせだ。

崔宰誠委員長は、こうも述べている。

「最近は東京で放射性物質が基準値の4倍以上検出されている」

「日本の措置への国際世論の反発が広まれば、東京五輪にも影響が及ぶ。日本に五輪を開催する資格はない」

経済悪化は日本のせい

対日不買運動は「日本が困っているぞ」「効いているぞ、効いているぞ」と〃加害妄想型〃で進展した。

そうするうちに、日本でレジストやフッ化水素の輸出許可が出た。日本側が最初から説明している通り、書類審査で瑕疵（かし）がなければ許可が出るのだ。が、韓国の反応は「不買運動の成果が出た」だった。

大統領府の金尚祖（キム・サンジョ）政策室長は「日本の直接的な規制とホワイトリスト除外措置などが、直接、韓国経済にもたらした被害は一つも確認されていない」と語った（ハンギョレ19年10月9日）。洪楠基（ホン・ナムギ）副首相も20年2月、「日本の不当な輸出規制後、具体的な被害は現れていない」と述べた。

話は前後するが、だから「日本の輸出規制による韓国の被害企業への金融支援、４６８件」（中央日報19年10月4日）という記事には驚かされる。

韓国金融委員会の資料を引用して「政策金融機関と市中銀行は8月5日から9月19日までの7週間で合計４６８件８０４５億ウォン（約７１９億円）相当の金融支援を行った」「内容は日本の輸出規制で直接・間接的損害を被った企業のための融資・保証満期延長と新規資金支援」と述べている。

きっと、景気悪化で立ちいかなくなった企業への救済金融を、「日本」に託(かこつ)けて行ったのだろう。

文在寅の中核的側近グループや、「ムンッパ」「頭壊文(ドウケムン)」などと呼ばれる狂信的支持者にとって、文在寅とは「無謬の存在」だ。従って、彼らにとっては文在寅の政策判断は常に正しいのであり、現実が悪い状況にあったなら、それは妨害者（敵）か天災のせいとなる。

文在寅政権下での経済の落ち込みは、法定最低賃金の大幅引き上げなど「正しい政策」を進めたにもかかわらず、敵（日本）が「不当な輸出規制をしたからだ」となる。その後の落ち込みは、ひとえに新型コロナウイルスのせいであり、文在寅は常に正しい――つまり、北朝鮮とほとんど同質の「無謬の元首への礼賛」に終始するのだ。

「米国による仲裁」の意味

不買運動とともに、韓国の政権が進めたのが海外世論工作だった。世界貿易機構（WTO）、アジア太平洋経済協力（APEC）関連会議など機会あるごとに、日本の輸出管理強化を「不当な政治報復」「グローバルなサプライチェーンを破壊する」と攻撃した。

海外工作のメインは対米だった。米国を味方につけ、米国の圧力により、ホワイト国に戻ろうとしたのだ。いかにも事大主義の国の発想だ。

いや、そもそも、ホワイト国から外されたからといって、実質被害は何もないのだから、そんなに釈迦力（しゃかりき）になることもあるまいと思う。

が、韓国側は、ホワイト国を外されたのだから、あるとき急に輸出が不許可になることがあり得ると考えている。韓国の対日政策の推移によって日本が「経済制裁発動」に踏み切れば、そうなる。いわゆる徴用工判決に伴う差し押さえている日本企業の資産を売却すれば、日本政府は「輸出管理」ではなく「制裁」に踏み切らざるを得なくなる。

しかし「輸出管理」の段階なら、イランや北朝鮮に戦略物資を横流ししなければ、そんな心配はない。いや、それでも心配だというのは、横流しを考えているからではないかと、こちらの方が疑わざるを得なくなる。

韓国は19年7月下旬から8月上旬にかけて、政府高官を次々と米国に派遣して、「米国による仲裁」を依頼した。ここでいう「仲裁」とは、先に指摘した「協力」や

「交流」と同質の言葉だ。「韓国の味方になって、日本をギャフンと言わせてくれ」という意味だ。

中国に「三不の誓い」を提出し、ＴＨＡＡＤの日常的運用を妨害し、対北朝鮮制裁に穴を開けようと画策している国を、米国が信用するはずはない。それだけのことをしていながら、困ったら米国に「仲裁」を依頼するとは何たる鉄面皮なのか。

韓国とは、そういう国なのだ。これだけ「反日」を煽りながら、韓国政府は職のない若者を日本に送り込んで就職させようと日本企業に働きかけているのだから、まさしく鉄面皮だ。

米国への仲裁依頼工作の中でも「対米交渉の切り札」として韓国マスコミから注目されたのは大統領府・国家安保室の金鉉宗(キム・ヒョンヂョン)第2次長だった。

この人物の独特のパーソナリティこそ、韓国の政権がＧＳＯＭＩＡ終了を決める最大ファクターだったと私は見ている。米国も〝金鉉宗・主犯説〟だ。

ＧＳＯＭＩＡ問題の主犯

金鉉宗とはどんな人物なのか。

彼の父親は外交官だった。その関係で、幼いときは日本で、その後は米国で学生生活を送った。一説によると、日本では「いじめ」に苦しめられたが、米国では一生懸命に勉強し「韓国語より英語が上手い」と言われるようになった。

彼は盧武鉉政権下で、外交通商省（当時）の通商交渉本部長（次官補クラス）として米韓自由貿易協定（ＦＴＡ）交渉を担当した。そして官僚としての〝上がりポスト〟である国連大使を務めて退官した。盧武鉉政権で順調に出世した官僚……おそらく「左の感覚」の持ち主だったからなのだろう。

彼は退官後、サムスン電子に入り社長を務めた。先に述べた「海外法務担当社長」だ。

サムスン電子は、韓国型ケンカ術で訴訟に対応する。訴えられるや、すぐに逆提訴して、その裏で和解工作を進める。その部門のトップ、つまり示談屋グループのボスには、国内の経済官庁にも、海外にも顔が利く人物が必要なのだろう。

彼が12年末でサムスンを去ったのは、アップルに形勢悪しだったからだろうか。

その後、韓国外語大の教授をしていたが、17年に文在寅政権により通商交渉本部長に再起用された。通商交渉本部長のポストは廃止されていたが、対米ＦＴＡの再交渉を前に4年ぶりに復活した。

同じ人間を再び同じポストに起用する事情からだろうか。文在寅政権は、通商交渉本部長の格付けを次官クラスに上げた。それだけではなく、海外では「閣僚」と称することを許可した。外国に行ったら〝通商交渉担当相〟とは、政権による肩書詐称だ。

彼が〝通商交渉担当相〟になる際に、その思想性など「検証」をしたのは大統領府の民情首席秘書官だ。そう、「極左のイデオローグ」とでも言うべき曺国のメガネに適ったのだ。北東アジア局長だった趙世暎が外交省を追われ、曺国・民情首席の下で外交第1次官に復活したのと同じだ。

ちなみに趙世暎は19年8月1日の国会答弁で「(GSOMIAを破棄すれば)日本の立場に打撃があると考える」と述べた。ここら辺から「ホワイト国はずし」への〝報復措置〟としてのGSOMIA破棄が浮上してくる。

〝報復措置〟……つまり日本を困らせる措置だ。8年前に閣議決定を公表しないまま、韓国にとって必要なGSOMIAを締結しようとした人物は、いつの間にか、GSOMIA破棄で困るのは日本だと、主張を変えていた。そうした主張が主流であればこそ、韓国の政権はGSOMIAが外交カードになると思い込んだのだろう。

金鉉宗の対米ＦＴＡ交渉は「失敗に終わった」と言っていい。

ところが彼は出世する。大統領府・国家安保室第２次長に任命された。通商関係の交渉役のトップだったとはいえ、安保・軍事とは無縁だった金鉉宗が何故に大統領府・国家安保室第２次長に就いたのか。

一つの理由は、政権中枢が満足するだけの「思想性」を持ったキャリア官僚が絶対的に少ないことだ。逆に「思想性」合格のキャリア組、文在寅の〝お友達〟は、どんな失敗をしようが、別の部門に流れて出世階段を上る。これを韓国のマスコミは「リサイクル人事」「回転ドア人事」と揶揄する。

大統領府の政策室長は「経済政策の司令塔」だ。文在寅政権の初代室長になった張夏成（チャン・ハンソン）は「所得主導成長路線」を推進した。異様な高率の最低賃金引き上げと、福祉や雇用対策補助金のバラマキだ。

そしてメタメタになった経済指標を残して大統領府を去った。と思ったら、すぐに中国大使に任命された。彼は経済学者であり、中国とはおよそ無縁だ。

前任の中国大使は18年６月、金正恩が訪中した時、休暇を取って韓国にいた。中国大使館は関連情報の収集基地だ。てっきり大使失格かと思ったら、大統領秘書室長に大栄転した。

本務で失敗して大言壮語

ここで韓国大統領府について説明しておこう。

韓国の大統領府を、日本の首相官邸になぞらえて見てはいけない。

文在寅政権下の大統領府は、①秘書室②政策室③国家安保室——の3室体制からなる。

②は経済政策③は軍事問題を担当し、①は内政、高官人事、政権としての公報、大統領の演説・日常・儀典など②③以外のすべてをカバーする。

①には、何人かの首席秘書官がいて、それぞれの首席秘書官室の下に、様々な担当別の秘書官がいる。

それぞれの担当別の秘書官室には、行政官、事務官、吏員がいる。例えば、民情首席秘書官室の翼下にある秘書官室に配されている行政官の中には、日本でいえば県警本部長クラスのキャリアがいる。

日本の首相官邸では……警察関係を見れば、県警本部長クラスのキャリアが部下も連れずに首相秘書官として出向している。

韓国の大統領府とは、行政組織上の法的規定がどうあろうと、「政府の上にある政権」なのだ。

韓国は、あらゆる面で「上下関係」が、意思決定過程を左右する。海外では「閣僚」と名乗っていいと政権から許可されていた人物が、心の中で「俺は室長や第1次長より上なのだ」と自負していたとしても、何の不思議はない。

金鉉宗にとって、米国を「仲裁」役に担ぎ出す工作は、彼の経歴からすれば〝本務〟だった。しかし、工作は完全に失敗した。

国家安保室の第1次長は、国家安保会議（ＮＳＣ）の事務処長を兼ねている。それで「ＧＳＯＭＩＡ終了」の発表は第1次長がした。第1次長の下には、▽安保戦略▽国防改革▽サイバー情報対策を担当する秘書官がいる。

第2次長の下にいる秘書官の担当は、▽平和企画▽外交（在外同胞）政策▽統一政策。明らかに「対北」部門であり、ＧＳＯＭＩＡは第2次長の分掌ではない。

韓国人は本務で失敗すると、他人の職務領域にしゃしゃり出てきて大言壮語を発したり、極論を吐いたりする傾向がある。そうすることで、失地回復の気分になるのだろう。

「赤いタマネギ男」こと曺国も、民情首席秘書官としての本務に失敗すると、ツイッターで反日論を展開したり、保守系紙を攻撃したりして脚光を浴びた。

金鉉宗もどうやら、同じ性格のようだ。米国からの帰国後、彼は記者団が要求したわけでもないのに、自らブリーフィングを主宰して、日本の輸出管理問題、いわゆる徴用工問題、そしてGSOMIA問題でも発言を始めた。その発言領域を見ると、まるで外相、いや首相だ。

例えば、ホワイト国はずしは歴史問題への報復という前提で、こう述べている。

「最初に強制徴用という反人道的不法行為を通じて国際法に違反したのはまさに日本」

「最高裁は韓日請求権協定が強制徴用者などに対する反人道的犯罪および人権侵害を含まなかったと判決した。民主国家として韓国はこのような判決を無視も廃棄もできない」。

対北問題を所管する第2次長が、自らブリーフィングすると申し出てきて言うべき内容ではない。

だから康京和（カン・ギョンファ）外交相とはそりが合わない。

19年10月には、金鉉宗が外交省の職員を怒鳴り付け土下座させたため、康京和と大喧嘩になったとの噂が流れた。英語でやりあったそうだから立派なものだ。

そういえば、康京和外交相は、ＧＳＯＭＩＡの終了を決定したＮＳＣ（国家安全保障会議）に出席していなかった。彼女が急ぎ中国出張から戻ったとき、すでにＧＳＯＭＩＡ廃棄は決まっていた。いくら〝お飾りの存在〟だとしても、外交相不在の会議でＧＳＯＭＩＡ終了を決めてしまうとは、凄い国だ。

いやいや、ＧＳＯＭＩＡ締結の閣議決定を発表しないまま、調印しようとした国なのだから、当たり前のことか。

これが韓国人

ＧＳＯＭＩＡ終了の通知が日本に届いても、19年11月23日までは協定は生きている。

韓国は「その間に日本が韓国をホワイト国に戻せば、ＧＳＯＭＩＡを正式に復活してもいい」と持ちかけた。誰がそんなバーゲンを思いついたのか。

訴えられたら、逆提訴して、示談に持ち込む――そうだ、いかにもサムスンの「海外法務担当社長」だった示談屋の発想ではないか。

ただし、根底にあるのは「GSOMIA破棄で困るのは日本」という大間違いの認識だ。

廃棄を決めた2日後、〝青瓦台の高位関係者〟は「今まで日本から北朝鮮ミサイルと関連して意味のある情報を受けとったことがない」「一言でいえば利用価値がなかった」と語った（ハンギョレ・韓国語サイト19年8月24日）。

〝青瓦台の高位関係者〟とは誰なのかはさて置くとして、北朝鮮が19年10月2日、潜水艦発射弾道ミサイル（SLBM）と推定されるミサイルを発射するや、韓国は慌てて日本に情報提供を要請してきた。GSOMIAはまだ生きている。だから、当然の権利というのだろうが、普通の日本人から見たら「恥を知らない人々」となろう。

ここでも韓国の国防相は「日本に情報提供を要請した」とは言わなかった。

「日本に情報の共有を要請した」――これが韓国人なのだ。

GSOMIA廃棄が決まると、韓国の野党陣営は対米関係への影響を問題視した。ここでもしゃしゃり出てきたのは、外相や国家安保室長ではなく、金鉉宗だった。

「米国に理解を求め、米国は理解した」（8月22日）と。

米国は素早く反応した。「韓国政府は一度も米国の理解を得たことはない」と全面否定し、「失望した」を繰り返した。

すると8月23日、再びブリーフィングに立ち「日本から反応がなければＧＳＯＭＩＡの終了は避けられないという点を（米国に）持続的に説明した」「私がホワイトハウスに行って相手方と会ったときも、このポイントを強調した」。

つまり7月に仲裁依頼工作で米国に行った時、文在寅→金鉉宗ラインは既に「ＧＳＯＭＩＡ廃棄」を交渉材料にしていたのだ。

米国の「失望」連呼に対して金鉉宗は、「米国の希望通りにならなかったのだから、失望は当然だろう」としつつ、「むしろ韓米同盟関係を一段階アップグレードさせて、今よりも一層堅固な韓米同盟関係になることができるよう、努力して行く」と、シャアシャアと述べた――これが韓国人なのだ。

米国の国務省関係者が「韓国には失望した」の台詞を繰り返すと、韓国外交省は米国の駐韓大使を呼び出して「あの発言をやめろ」と抗議した。

抗議したのは、外交第1次官の趙世暎だ。外交省は抗議の場面を、敢えてマスコミに公開した。

その直後に再び米国大使を呼び出して、在韓米軍基地の「早期返還」を要求した。もちろん、それを伝えたのも外交第1次官だ。

対象となった基地は既にほとんど使われておらず、返還手続きが遅延しているところが多いが、GSOMIA廃棄に伴う米国との葛藤が続いている最中に、敢えて「早期返還要求」の大声を上げたところがポイントだ。

日本とも米国とも争うのだという文在寅政権の意思表明だ。

それを主導するのは、国家安保室の第2次長と、外交省の第1次官だ。

GSOMIA廃棄の決定から1カ月以上経ってから、MBCテレビ（19年10月5日）のニュース解説番組がこう報じた。

「雑音を出す金次長が力を持っている理由は何でしょうか。国家安保室長の存在感が弱いという評価とともに、猪突猛進のスタイルが大統領の信任を受けているという話が出ています」

政権ベッタリのテレビが「猪突猛進のスタイルが大統領の信任を受けている」と解説するのだから、韓国の高級官僚は機会さえあれば「反日・離米発言」をして絶対権力者にゴマを擂るだろう。

お国のためよりは、わが身の出世と保身――韓国型官僚と「独裁者・文在寅」の組み合わせが、韓国をレッドチームに接近させていくのだ。

ＧＳＯＭＩＡ廃棄の通知、それは協定に定められた手続きなのだから、それ自体に何らの瑕疵もない。

協定の取り決めに従い19年11月23日午前9時で日韓ＧＳＯＭＩＡは廃棄される予定だった。

ところが、米国からの圧力を受けると、韓国は11月22日、日本政府に「廃棄通告の効力停止」を伝えてきた。それで自動延長されたと思ったら、韓国は「効力を暫定的に停止しただけだから、いつでも廃棄できる権利を有している」と始めた。

そして20年2月になると、大統領府や外交省が「日本が不当な輸出規制を元に戻さないのならば、やはりＧＳＯＭＩＡを打ち切ろう」と、またグジュグジュと始めた。もう「勝手にしろ」と怒鳴りつけたくなる。

第７章　官製不買運動で潰れゆく経済

頻繁に有耶無耶になる不買運動

韓国は「反企業意識」、つまり「企業＝悪なる存在」という思い込みが極めて強い国だ。外国人経営者は昔から、それを指摘している（例えば朝鮮日報04年8月1日）し、韓国紙も「韓国人にとって企業は悪」にたびたび言及している。

韓国人の「企業＝悪なる存在」という思い込みの強さは、一つには韓国の企業が儲けのためなら、かなりの悪事を厭わず、「消費者のため」といった意識が極めて希薄なことに由来する。

財閥は文在寅政権下では「いじめられている被害者」を装っているが、彼らこそオーナー一族の蓄財のためになら、大胆な悪事も厭わずに行ってきた存在だ。

もう一つは、「従北型マルクス主義」の感覚に染まっている国民の比率が高いからだ。マルクス主義の理論を知っているわけではないが、彼らにとって「資本主義」「企業」は感覚として、つまり無条件に悪なる存在なのだ。

ところがマルクス主義の理論に心酔している人々も「わが利益のため」となると、投機やインサイダー取引、不法な中間搾取に没頭する。「赤いタマネギ男」こと曺国は、その典型だ。

　文在寅政権発足とともに隆起した新権力層とは、頭の中は真っ赤々、しかし経済活動では悪徳ブルジョワといったタイプが多いようだ。日本で言えば、マイナーな用語だが「杉並ブルジョワ左翼」だ。

　ともかく「企業＝悪なる存在」とは汎国民的意識なのだから、韓国では不買運動が頻繁に起こる。不良品を掴まされた消費者が怒りだし、あるいはオーナー一族のスキャンダルを知って、ネットで不買運動を呼び掛けるのだ。内部告発も、ここぞとばかり出てくる。

　韓国企業を標的にした不買運動では、企業側が早々と記者会見して、指弾された不正を謝罪し終わりとなることが多い。

　ところが外国企業を対象とした不買運動はだいたいのところ、本当に進められているのかどうか確かめようもないまま有耶無耶に終わる。

　日本企業を対象とした不買あるいは不売運動は、１９８０年以降、何十回もあった。が、成功した例を聞いたことがなかった。

　日本企業を対象とした不買運動は品質問題ではない。「日本に大金を流出させている」（配当のことだ）、「大儲けしているのに社会還元が少なすぎる」（ごろつきメディアへの広告料のことだったりする）、あるいは「日本製品がスーパーの良い陳列棚を独占し、善良な韓国企業の製品が片隅に追いやられている現状を許してはならない」、さらには「戦犯企業だから」といった〝反日愛国主義〟の理由が多い。

13年2月には、公称600万人の会員を擁する自営業者の連合団体が、日本の「竹島の日」式典に抗議して「日本製品を取り扱わない」と不売運動を宣言した。

当時の聯合ニュース（13年2月25日）は、こう報じている。

「参加する団体は飲食店や酒類店、スーパーなどを運営し国内で流通する日本製品の約80％を取り扱っているため、影響は少なくないとみられる」

「参加する団体は昨年、中小自営業者が負担するカード手数料の引き下げを求め、サムスンカードや新韓カードなどを対象に不買運動を行い手数料の引き下げに成功している。大型スーパーの義務休業もこれらの団体による運動の成果だ」

世論調査では、47％がこの不売運動に賛成した。

事情を知らない日本人が聞いたら「さぞ大変なことになる」と思うだろう。

しかし、宣言だけで、何も起こらなかった。きっと団体の役員たちの店はしばらくの間、不売をしたはずだ。しかし、不売宣言を守らない他の店に客を奪われるだけと分かり……ということなのだろう。

　平昌冬季五輪の際は、避妊具メーカーのオカモトを標的にした不買運動があった。「日本兵が慰安婦に接する時に使ったのはオカモトだ」「オカモトは戦犯企業なのに、韓国でシェアトップとは許せない」と騒がしかった。だが、これも有耶無耶のうちに終わった。

いつもと違う不売・不買運動

これまでの反日不買運動の歴史からすると、19年7月から始まった日本製品に対する不売・不買運動は確かに異例だ。

しかし、異例なる理由は明らかだ。

「日本の不当な経済報復により、韓国経済は倒壊してしまう」といった異様な被害妄想意識を、政権とマスコミが振りまく中で、「国民ができる対抗措置」と位置付けられたことだ。

　心理戦団が考えたのだろうか。「独立運動には参加できなかったが、不買運動には参加できる」という台詞も流行した。

与党勢力が先導し、マスコミと自治体が扇動し、「日本の特定企業」ではなく、「日本国」そのものを標的とした。

民間団体が旗振り役だった従来の不売・不買運動とは全く違うのだ。

日本政府が輸出管理の強化を正式発表する前から、つまり産経新聞が特ダネ報道した直後から、韓国のネットには「私は日本に抗議するため不買運動をする」といった書き込みがあった。純粋なる個人なのか、心理戦団の仕業なのかは分からない。

しかし不売・不買運動の実質的な始まりは、中小流通業者団体の代表らが、ソウルの日本大使館前で、日本の有名ブランドのロゴを貼りつけた段ボール箱を踏み付けるパフォーマンスを演じた時からだった。

およそ韓国のマスコミがすべて映像付きで報じたことからも明らかなように、事前に韓国中のマスコミ各社に「やりますから撮ってください」と通知した上でのパフォーマンスだった。

このパフォーマンスを演じた団体の代表は「文在寅の熱烈支持者」として有名な人物だ。その前の代表は、大統領府の秘書官（自営業者担当）に抜擢されている。

このパフォーマンスの後のネットは「私もやるぞ」の大洪水。そして、日本製ビールの売上高急減を伝える報道が、運動の主導者たちの士気を高め、一般国民の「こんな時には、自分もできるだけ日本製品を買わないようにしよう」との心理を増幅させた。

日本製ビールの輸入は19年10月には、ほとんどゼロになったというから、それは凄い。

ビール各社の売上高が減れば、ビール会社は慌てて日本政府に圧力をかけ、日本政府は韓国をホワイト国に戻さざるを得なくなる……韓国人は、そんな解決策でも夢想していたのだろうか。

しかし、日本製ビールの輸入額が最も多かった19年6月にしても、７９０万ドル、つまり8億円強だった。ビール４社を合わせて年間１００億円だ。韓国のマスコミは「不買運動の代表的成果」のように報じているが、日本の大手ビール会社１社の売上高が２兆円規模であることは伝えない。

不買の全体主義

ソウルの日本大使館前での「日本糾弾、不買貫徹」の集会も、大いに士気を高めた。

スローガンを書いたお揃いのベストを着て、リーダーの合図により、スローガンが書かれたボードを一斉に頭上に掲げる――韓国のデモでは、おなじみの光景だ。しかし、あのベストは誰がデザインし、誰が発注し、誰が配ったのか。もっと重要なことは、その経費を誰が払ったかだ。

ボードについても、同じ疑問が付いて回る。それでも韓国人は「自主的な不買運動だ」と言い張るのだ。

不買運動が、ジワジワと盛り上がってきたところで、政権ベッタリの新聞ハンギョレ（19年7月20日）は「安倍政府は『日本製品不買運動』の拡散の意味を直視せよ」との社説を掲げて、猛烈に煽った。

先導するのは文在寅支持派。扇動するのは政権ベッタリ新聞。先導と扇動の間で、情報機関の「心理戦部門」が、お家芸のネット工作をしたのは「デマ情報政治国家＝韓国」では当然すぎることと見るべきだろう。

マスコミ報道やネットを見て「自主的に」不買運動に追随している韓国人とは、日本のテレパヨや韓流愚民と同様に踊らされている自覚がないまま踊っている哀れな存在ではあるまいか。

こうした状況の中では、問われたら誰でも「私は自主的に不買運動をしている」と答えざるを得ない。だから、世論調査をすれば８割が「不買運動に参加している」ことになる。

「本当は買いたいのだけれども、周囲の目があるから買えない」という反日ファシズム社会の恐怖に取り囲まれた不買運動だ。

大きな標的になったユニクロには一時期、買い物客の顔写真を撮ってネットに晒すグループまで入り込んだ。反日ファシストによる「ネット晒し」の刑だ。

ユニクロ、無印良品、ＡＢＣマートの日系小売り３社に関しては、与党議員が「国内のカード会社８社（サムスン、新韓、ＫＢ国民、現代、ロッテ、ウリィ、ハナ、ＢＣ）から入手した」として、クレジットカードによる売上額の推移を暴露している（朝鮮日報19年10月22日）。

カード会社が、個々の企業の売上高、その推移を示すデータを部外者に提供することが許されるのだろうか。

が、現に提供され、その内容を新聞が何らの疑問を呈することもなく報じているのだから、これは本当に「恐ろしい社会」だ。

一連の動きの中で重要なことは、韓国および韓国人が意識の上で「日本による被害者」になっていることだ。

韓国人の意識体系の中で「被害者」とは、加害者に対して報復をして当然であり、謝罪と賠償をいつまでも要求できる〝強い存在〟といえる。

光州暴動の被害者の遺族、セウォル号の被害者の遺族、元慰安婦と称する老女たちを統率していた団体……まさしく〝被害者特権〟を振り回している。

だから韓国人は、葛藤状況が起きるや、「自分は善良な被害者」と言える便法をまず考える。「被害者コスプレ趣味集団」といった感じがしてくる。

今回の不買運動では、政権が早々と「日本の不当な経済報復」による被害国であるとの不動の規定を提示してくれた。

韓国人全員が「日帝の被害者」であるのに、いままた新たに「日本の不当な経済報復」による被害者になったというわけだ。

一夜にしてNOジャパンからNOアベに

次に出てきたのが、与党系自治体の対日嫌がらせパフォーマンスだった。

典型は京畿道議会だ。学校にある日本製の備品（映像装置、コピー機、科学実験装置など）に「これは戦犯企業の製品です」と書かれたステッカーを張る条例案を可決した。ただ、首長の裁可が下りず保留のまま時間切れになった。

しかし、そもそも日本への嫌がらせが目的であり、「地方議員も頑張っている」ことを示すパフォーマンスなのだから、条例案の動きが報道されるだけで、議員たちは満足なのだ。

与党系自治体の議会は次々と「自治体の予算で日本製品を購入しない」との内容の条例案を可決した。これはＷＴＯの規定に抵触するため、やはり首長の裁可が下りない。しかし、議員たちはそれでいい。理由は戦犯ステッカーと同じだ。

自治体の不買運動には、お笑いズッコケが少なくなかった。

ソウル市中区の区長は、繁華街の街路灯に吊り下げる「ＮＯジャパン」の垂れ幕１１００枚を業者に発注した。とりあえず１００枚が届くと、区の職員に吊り下げ作業をさせた。

１１００枚でいくらするのか。ともかく、そんなことを区長の専決でできるのだから、韓国の地方自治制度はスゴーイのだ。

ところが「NOジャパン」の垂れ幕には、猛烈なクレームが出た。中区はまさにソウルの中心地域であり、昔からの繁華街・明洞もその一角にある。日本人観光客を相手にする商店主たちが「街中にこんな垂れ幕があっては日本人客が来なくなる」と怒鳴り込んだのだ。

区庁は慌てて垂れ幕を撤去した。

さらに保守系の小さなメディアが特ダネを報じた。

「中区の区長の指示でソウル市内に掲げられた『NOジャパン』の垂れ幕が、日本製の印刷機で製作されたことが確認された」（日曜新聞19年8月6日）と。

――中区庁の関係者は「業者に問い合わせた結果、この垂れ幕はバリュージェットという印刷機で製作された」と明らかにした。バリュージェットは日本の武藤工業のブランドだ。印刷業界関係者は「垂れ幕印刷では、武藤を代替できる印刷機は事実上ない」と述べた――

この騒動を機に「NOジャパン」というスローガンでは、すべての日本人を敵に回すことになるとの識者の指摘が出た。

政権ベッタリのハンギョレ（19年8月7日）が書いている。

――日本製品の不買運動など、自主的な実力行使が地域と領域を問わず広がりを見せている。覚醒した民主市民として当然の意思表示であり、正当な主権行使であることは言うまでもない――

「覚醒した民主市民」「正当な主権行使」……そんな仰々しい行動だったのかい。いや、笑うのはやめにして、記事の続きを紹介しよう。

――ただし、一部で行われている過度な対応や荒唐無稽な行動は非常に残念だ。両国の衝突が長期化すると予想される状況で、今からでも「NOジャパン」ではなく「NOアベ」に焦点を合わせるなど、賢明で成熟した対応を模索する必要がある――

すると、まさに一夜にして「NOアベ」にスローガンが変わったのだ。「NOアベ」を叫んで回ることが〝覚醒した民主市民の賢明で成熟した対応〟。もう笑いが止まらなくなる。

ところで、「NOジャパン」はやめて「NOアベ」にすると、誰がどこで決めたのか。もう翌日の集会でデモ隊が頭上に掲げるボードは「NOアベ」になっていた。ベストは即刻の切り替えができなかったようだが、誰が新しいボードやベストを発注し、誰が代金を支払ったのか。

いや、それでも韓国人は「自主的不買運動」と言い続けるのだ。

見つけてしまった日本製

ソウル市西大門区の区庁では一階ホールに、特注したと思われる大きな透明の箱を置き、そこに区の職員がそれぞれの課内にある日本製品を投げ捨てるパフォーマンスを実施した。名付けて「日本経済報復措置に対する職員糾弾大会」。

左派系の京郷新聞（19年8月9日）は、こう伝えている。

――「すべて調査したが、代替可能な事務用品です。コピー機、ファックス機には様々なものがある。今から日本がすべての規制措置を撤回して正常化させるまでは、今後こうしたものを使わないことにした誓いを私たちの行動で示します」

冒頭の挨拶を終えた区長が箱に入った物品をタイムカプセルにざっと注ぎ込むと、職員が拍手した――

もちろん、マスコミを呼び集めてから開始なのだから、まさしく「見せることで煽る」行動だった。

が、それでは終わらなかった。

「日本経済報復措置に対する職員糾弾大会」が終わってから、区庁舎の中を歩いた記者は見てしまったのだ。

「区庁総合民願室と一部部署に置かれた高価な日本製複合機・コピー機・プリンターは堂々と利用中だった」（ニューデイリーニュース19年8月9日）。

ニューデイリーが不買運動を皮肉っているのか〝反日の正義感〟から憤っているのかは判然としない。

区関係者の話として載っているのは「庁舎内で計45台の日本C社の複合機を使用している」「高価な製品は既存の契約関係があるため、すぐに変えることは難しく、契約期間満了後に判断」。

リース契約で設置しているキヤノンの複合機を廃棄するわけにはいかないではないか――というのだ。

では区長の挨拶は何だったのか。

米国の経済通信社ブルームバーグ（12年8月30日）は「サムスン、コピー機でも日本企業打倒を――アイフォーン採用のチップで」と伝えていたが、あれはフェイクだったのか。ブルームバーグは、日韓がらみになると、がぜん韓国寄りになる。ニューヨークタイムズも同様だ。そうした記事を執筆する記者は、日本の韓国ウオッチャーが「また、あいつか」というメンバーだ。

日本の商品名を打ち込むと、即座に代替品が表示されるサイトも開設された。「NONOジャパン」という名で人気を集めたそうだが、これもトンデモのズッコケがあった。

左翼テレビのJTBCがアプリの制作者を取材した。パソコンに向かいキーボードを打ちながらインタビューに応じたまではテレビ局の狙い通りだった。

が、それが放映されると、目ざとい視聴者がキーボードに着目した。画像を拡大して見ると、これは日本製のプロ用キーボード「リアルフォース」だった。

「インチキ野郎」といった非難に対して、制作者の弁明が〝最高の正論〟だった。

「私は『不買運動』と『捨てること』は別だと思う」

アレ、光州市の高校では、ボールペンやサインペン、ホットパックなど日本製品を捨てるイベントもあったのに……。

あの「赤いタマネギ男」こと曺国が法相就任を前に国会で記者会見した時のことだ。質問を聴きながらメモを取っている映像を、あのニューデイリーが拡大解析した。すると、日本製のボールペンだった。

　ニューデイリーが書いている。

「（彼は民情首席秘書官だった間に）40数回、フェイスブックに反日感情を助長する文を載せた。政府を批判する野党と一部保守メディアを『売国』『利敵』『親日派』などに比喩して露骨に非難した」

「国民に向けては東学農民運動を素材にした歌である『竹槍歌』に言及して克日意志を強調した」

　その男が……というわけだ。

「赤いタマネギ男」の話が続く。国会の承認を受けないまま、文在寅大統領は彼を法相に任命した。これは慣例破りだが違法ではない。が、次から次へ一族の金銭疑惑が明らかになった。保守派は前年6月の統一地方選挙の大敗により仮死状態に陥っていたのだが、曺国辞任要求の大集会を成功させることで、息を吹き返した。そして曺国は辞任した。

　検察は10月、曺国の夫人（大学教授）を、（大学の）業務妨害、資本市場法違反、証拠偽造教唆など11の罪状で逮捕した。

拘置所に息子が面会に訪れた。この息子も「不法な兵役逃れ」が疑われているのだが、その時の映像がテレビで報じられると、ネットが大炎上した。

「あの息子が着ているヨットパーカーは、間違いなくユニクロの商品だ」と。

「韓国の2ちゃんねる」と言われる「イルベ」には不買運動の早い段階から、より根源的な批判の書き込みが載っていた。

「反日不買運動を煽るテレビの放送用の機資材は、ほぼ全てが日本製ではないか」と。

19年7月からの与党圏主導の不買運動とは詰まるところ、「代替品がある消費財についてては」ということなのだ。

ビールは代替品が溢れているから不買運動の実効が上がる。筆記用具もそうだ。しかし、医療用機器や紙オムツは、誰かの指示でもあったのか、初めから対象にならなかった。

そして20年春には任天堂のゲームソフト「あつまれ　どうぶつの森」が大ヒット。しかし、もっと大きな無風地帯がある。産業用の機資材だ。そもそも「フッ化水素などを要求どおり売れ」と主張しながら、その対抗措置だとして「日本製品を買わないぞ」という〝根源矛盾〟が問題にもされないのは何故か。「民度の問題です」と正直に言ったら「ヘイト」なのだろうか。

日本旅行ブームへの葛藤

「日本製品は買わない」だけではなく、日本旅行には行かないという「日本旅行ボイコット」キャンペーンも並行して進んだ。

韓国人の日本旅行が急増したのは15年からだ。前年より45％も増えてから、以後は毎年が大幅増の連続だった。

18年に日本に入国した韓国人は７５３万人。日本を訪問した外国人の４人に１人が韓国人であり、１年間に韓国人の７人のうち１人が日本に来た計算になる。

傍目から見ても、あまりにも異様な日本旅行ブームだった。

なぜ、そんなに旅行先としての日本が人気を集めているのか。

朝鮮日報の女性記者が函館旅行をした感想ともども書いている（18年８月20日）。

「往復約30万ウォンの格安航空券や宿泊費を合わせても３泊４日の旅行にかかったお金は約１００万ウォンだった」

「ハンバーガーとウーロン茶１杯、そしてマグカップにいっぱい詰まったフライドポテトが出てくるセットメニューの値段は約6600ウォンだった」

「『少ないお金でもおもてなしをしてもらえる』という思いを旅行期間中、ずっと感じた」

「韓国国内を旅行した知人たちが異口同音に言うのは『お金を使っているのに嫌な思いをした』という言葉だった」

「（東海岸の港町・東草で）2人前で10万ウォンの刺身の盛り合わせを頼んだら、ツマの海藻ばかり山盛りで、刺身はほんの数種類しかなかった。店主に文句を言ったら『この辺りの別の店でもみんな同じだ』と逆ギレされた」

「韓国よりも安くなった物価…。海外旅行へのハードルはますます下がっている」

ビッグマック指数（マクドナルドの同じハンバーガーの値段を国別に比較した指数）の20年版を見ても、韓国428円に対して、日本390円だった。

ソウルの冷麺価格は19年初旬には1万ウォンほどになった。

2人前で1万円の刺身の盛り合わせ——私がよく行く寿司屋の刺身盛り合わせは1人前3000円で、10種類以上の刺身が盛られている。

日本の方が、物価が安くて、サービスも良く、ボッタクリの被害に遭うこともなく気分良く過ごせる。しかも格安航空会社（LCC）を利用すれば、ソウルから済州島に行くのと、ほとんど変わらない。

日本旅行に来る韓国人が激増したわけだ。

しかし「反日＝愛国＝正義」と信じる一部の韓国人にとっては、この異様な日本旅行ブームは許し難い現実だった。

だからだろう。16年の韓国ネットには、しばしば日本旅行中に遭った様々な被害事例が紹介され、その度に大炎上した。

俗に「ワサビテロ」と呼ばれる出来事が、その代表事例だ。日本旅行をして有名な寿司屋に入ったところ、猛烈な量のワサビが入った握り寿司を出されたというのだ。

それに続いて「東京の有名なスイーツの店に入ったところ、虫が入った紅茶が出てきた。店に文句を言ったが相手にされなかった」との書き込みと画像がアップされた。

小さな画像でも分かるほどの大きな虫が、東京の有名な飲食店で飛んでいる――ソウルでなら分かるが、東京でなくても、およそ日本の飲食店では考えづらい。

そして、画像にある伝票と記事の内容が合わないと日本人が指摘すると、記事も写真も削除されてしまった。

火付け役はネット

大阪・道頓堀を親子で歩いていたところ、２人の男がいきなり子供に暴行を加えたという書き込みもあった。

これは、虫入り紅茶とは次元が違う。聯合ニュース（16年10月14日）が大阪の韓国総領事館に確認を取り記事にした。

しかし、目撃者が出てこない。道頓堀なら防犯カメラが随所に設置されているだろうに、その映像も出てこない。診断書もない。被害者は、日本の警察に届けていない。韓国の総領事館に届け、総領事館が大阪府警に捜査を要求したそうだが、韓国の外国公館は早く門を閉めるので有名だ。本当に、夜10時近くに「被害届」を受理したのか。受験戦争で名高い韓国なのに、この親は平日に学校を休ませて息子を日本旅行に連れてきたのか。加害者を日本人と決め付ける証拠は……。

聯合ニュースは「大阪府警が捜査中」と報じたが、何の続報もなかった。防犯カメラの映像でも出たら、韓国マスコミは「勝った、勝った」（被害者になることは、韓国では勝利）と大騒ぎしただろうに何もないまま、書き込みそのものが削除されてしまった。

もしかしたら、これは大阪府警が韓国総領事館に「虚偽申告をするな」と抗議すべき事案だったのではあるまいか。

投稿者たちは「日本旅行に行くと、ロクな目に遭わないぞ」と警告したかったのだろう。

しかし、ネットでの「日本旅行で被害」告発は、その都度ネットを賑わせても、異様なまでの日本旅行ブームを止めるのに何の効果もなかった。そして18年は訪日韓国人753万人の大記録を達成した。

19年はどうなるのかと思っていた時に起きたのが、「日本の不当な経済報復」だった。

「日本旅行ボイコット」も、形を変えた不買運動だ。異様なまでの日本旅行ブームを苦々しく思っていたグループにとっては絶好のチャンス到来だった。

やはり火付け役はネットだった。

「観光立国を目指す日本」にとって、韓国人旅行客は「大のお得意様」なのだから、そこを止めてしまえば、日本はたちまち音を上げる——そんな理屈付けだった。

ユーチューブには、日本行きの航空券を破り捨てるパフォーマンスが流れた（チケットがなくても払い戻しは受けられる）。そして「私も取りやめることにした」との書き込みが続々と、自治体も日本への公務出張を取りやめ……商品の不買運動と同じようなパターンだ。

制御できない幻想・妄想・夢想

韓国人とは一般的に、凄まじいほど自意識が強く、日本に対しては、どこまでも尊大だ。

「マナーの悪い韓国人観光客は日本で嫌われている」といった自覚はほとんどない。

韓国人の日本に対する自意識過剰というべきか、その尊大さを示す面白い記事（韓国日報19年7月23日）があった。

「日本の参院選では、韓国人が多く訪れた観光地で、自民党候補が大挙当選し、国内世論が沸き立っている。『韓国人観光客のおかげで食べてきたのに、韓国に対する貿易報復措置を断行した自民党を支持したというから、さらに懲らしめなければならない』」というのだ。

この記事は福岡、東京、京都、北海道、青森、静岡など、韓国人客の比率が高い都道府県の選挙結果を次々と紹介している。

特に福岡県については、こう書いている。

「韓国人が食べさせてきたと言えるほど韓国人観光客が多かった福岡では、自民党と公明党候補が並んで1、2位に選ばれた。福岡空港を訪れる全外国人のうち、韓国人が1位（63％）を占めるほど韓国人観光客が多い」

福岡県民とは、「韓国人に食べさせてもらっている存在」であるらしい。

この記事を読むと、韓国人客と接する機会が多い地域ほど自民党が強いという〝逆Kの法則〟でもあるのかと思えてくる。〝Kの法則〟とは、ネットでよく使われる言葉で、「韓国と友好的に関わった存在（国家、企業、個人）は没落する」という意味だ。

記事は長崎と福島についても面白いことを書いている。

「第2次世界大戦で原爆被害を受けた長崎と、11年の原発事故を経験した福島の場合、『戦争できる日本への改憲』を主張する与党勢力に反対すると思われたが、選挙の結果、与党勢力が支持されたのは同じだった」

韓国日報の記者は、韓国人が福岡県民を食べさせていると信じているだけではなく、原爆投下の被害に遭ったり、原発事故があったりした県は、野党が圧勝して当然と思っていたようだ。

この記事は、韓国人記者の日本観を率直に示していると評価すれば良いのだろうか。韓国の日刊紙とはスゴーイ知的レベルなのだ。

不思議なのは、こうした選挙結果をつぶさに見ても、韓国のマスコミ主流が「極右の安倍一派と、多数の良識的日本人の対決」という現代日本についての政治観を修正しないことだ。

韓国のメディアは、目の前に示された「事実」よりも、かねて抱いてきた「妄想」への執着を捨てきれないのだ。国民一般が、情報政治により造り上げられてきた幻想・妄想・夢想から抜け出せないのは当然だ。

幻想・妄想・夢想を造り上げてきた政権そのものが、国民の幻想・妄想・夢想をもはや制御できなくなっているのだから。

困るのは韓国人経営者

韓国のメディアは、日本との関係が緊迫すると「対日サド趣味」一色になる。それに呼応するように、日本には自国に対して「マゾ趣味」を発揮するメディアが巣食っている。

「日本旅行ボイコット」キャンペーン報道は、そうした日韓マスコミの「サド・マゾ関係」をあぶり出してくれた。

当初、日本側のマゾメディアは、韓国で日本産のビールの売上が激減したことを取り上げて、日本政府に〝心変わり〟を迫るような記事を掲載していた。しかし、さすがに無理筋と思ったのだろう。やがて、韓国人観光客の減少により、日本の地域経済が破綻するかのような記事になった。

ところが、そうした記事のなかで「韓国人客の激減で大変に苦しい」と訴える商店やゴルフ場とは、在日韓国人か韓国資本の経営と見て取れる場合が少なくない。

韓国人は、どこの国に行っても、できるだけ韓国人が経営するホテルに泊まり、韓国人が経営する店で、韓国的な食事をしようとする。

何のために外国旅行をするのか、その原点を疑うしかない。

日本に来ても、韓国人あるいは在日韓国人が経営する宿泊施設（民泊など）や、飲食店を利用しようとする。

対馬（長崎県）や福岡県には、韓国人あるいは在日韓国人が経営する施設が充実している。大分県には、韓国人客相手に特化したようなゴルフ場や日本式旅館がある。そうした韓国系の旅行者向け施設が、「日本旅行ボイコット」キャンペーンで大打撃を受けているが、日本に巣食う反日メディア＝マゾ新聞は、まるで日本人が経営する一般の店まで大打撃を受けているように書く。

朝日新聞（19年7月25日）の「日韓対立で苦しむのは？ 観光客減や不買運動、影響深刻」という見出しの記事は、その典型のようだ。

島根県の飛行場担当者、難波のビジネスホテルの予約担当者など匿名の人物に「心配」を語らせているが、実名で出てくるのはJR九州の社長と、博多港のターミナル内にある韓国料理店の韓国人経営者だけだ。日本人経営者が語る具体的な被害は記事に出てこない。それでも「影響深刻」なのだ。

マゾ新聞とサド新聞で見えない事実

自意識過剰な人々は「集団被害妄想」に陥りやすい。しかし、そうした人々は一条の光を見るや、途端に〝集団加害妄想〟に逆転するのではないか。韓国の官製不買運動を見ていると、そう思えてくる。

とりわけ「日本旅行ボイコット」キャンペーンの場合は、そうだ。日本に巣食うマゾ新聞が「韓国人観光客大幅減、影響深刻」などと報じる。すると韓国のサドマスコミが、それを転電報道する。それは一条の光であり、韓国人一般は「効いているぞ、効いているぞ」と思い込んでしまう。

かくして「日本の不当な経済報復」の被害者だった韓国人は、「覚醒した民主市民」の「正当な主権行使」により、日本を苦しめる報復者になっているかのような幻想を楽しむのだ。

その先にあるのは、いずれ日本が全面降伏し、日王（天皇のこと）と首相が土下座して謝罪するという夢想なのだろう。

18年の来日韓国人は７５３万人。大変な数だが、そもそも日本の国内総生産（ＧＤＰ）に占める観光産業全体の比重は５％程度だ。

ＧＤＰは付加価値の総額であり、外国人観光客の消費額とは対比できない。外国人観光客の消費額は旅行収支に計上され、ＧＤＰの算出単位にはならない。

それでも言えることは、日本に来る外国人韓国客の中で、韓国人は最も金を使わないことが統計上も明らかになっている。韓国人客の日本での消費額は、あえてＧＤＰと対比すれば、コンマ以下であることは確実だ。

日本政府観光局（ＪＮＴＯ）が19年10月18日に発表した外国人旅行者の統計によると、19年９月に日本を訪問した韓国人数は20万１２５２人だった。18年９月に比べると、58・０％減った。

日本が経済報復措置に踏み切った７月の場合、昨年同期より７・６％ポイントの減少にとどまった。予約しているからキャンセル料を払うのがもったいないといった理由があったのだろう。

19年８月は前年同月比48・０％の減少率を記録した。そして９月は58・０％減。数字だけ見たら大変に思うが、全体としての来日外国人客は増加傾向が続いていた。19年９月の場合、韓国人客が58・０％も減ったのに、外国人全体で見れば５・２％増だった。

そもそも「日本の経済報復」と言っても、日本が輸出を禁止したり制限したりした品目はないのだから、「日本による被害」そのものが妄想だ。ビール不買にしても、日本旅行の取り止めにしても、「日本に大打撃」とは幻想だ。

日本でも局地的には「韓国人相手」に特化した店や宿泊施設は打撃を受けているのだろうが、早々と悲鳴を上げたのは韓国の航空会社であり旅行会社だった。

大手２社、格安航空（ＬＣＣ）６社とも19年４～６月期決算は揃って赤字だった。大きな原因は最低賃金引き上げに伴う玉突き型の人件費の上昇だ。この要因は今後も続いていく。

そして、19年７月からは「日本旅行ボイコット」に伴う減便・利用客減の影響がモロに出てきた。ＬＣＣの中には日本路線の比重が６割超のところもあるから一大事だ。それでも、いずれは「日本旅行ボイコット」も下火になり……と思っていたら新型コロナウイルスが襲ってきた。世界中の航空会社が同じような惨状に陥った。

しかし、韓国の場合は、とりわけひどいことになっている。大韓航空（ＫＡＬ）は13年から19年まで、17年を除いて毎年、当期純損失を計上してきた。そして、経営権をめぐる創業者一族内部の対立がある。

アシアナ航空はすでに銀行管理下にあり、20年４月に売却処分されることが決まっていた。ところが、新型コロナウイルス襲来により、ますます赤字が嵩んでいく状況を見て、売却時期が延伸し、今や買収側が手を引きかねない雲行きだ。

ＬＣＣ各社はもうメタメタ。小規模な旅行会社は廃業が相次ぎ、大手２社も政府支援がなければ命脈を絶たれそうだ。

完全国産化の大目標

日本の「対韓輸出管理の強化」（韓国では、あくまでも「日本の不当な対韓輸出規制強化」という）に対抗する不買運動は、韓国産業界の国際競争力をガタ落ちにさせる副作用をもたらしつつある。

「０・１％でも日本製部品が入っていてはいけない」とする「反日＝愛国＝正義」派の強硬論に引っ張られたのか、どうか。

文在寅大統領は「核心素材・部品の国産化」の旗を振ってしまった。韓国での大統領の発言は、公務員にとって絶対の命令だ。

大統領主宰で週１回開かれる首席秘書官・補佐官会議は、法制上の規定がない。いわば「内輪の会議」だ。しかし、この会議こそ、事実上「韓国の最高意思決定機関」なのだ。

ここでの大統領発言は、法律よりも国会決議よりも重い。何やら、大日本帝国の御前会議での陛下の発言を思わせる。

事実上の国営通信社である聯合ニュースは19年7月22日の首席秘書官・補佐官会議での大統領発言と、その解釈をこう伝えている。

――（文大統領は）「これまでわれわれは家電・電子・半導体・造船など多くの産業分野で日本の絶対的優位を一つずつ克服し、追い越してきた」と述べた。さらに、「国際分業システムで平等かつ互恵的な貿易を持続するためには、産業競争力優位の確保が必須だと改めて認識した」とし、「われわれはできる」と力を込めた。

文大統領の発言は、日本の素材・部品などの調達先が縮小したとしても、輸入先の多角化や国産化などで対応できるとの意志を示したものと受け止められる――

大統領は翌日、地方自治体の首長との懇談会で、こう述べた。

「部品・素材の国産化と輸入先の多角化は、困難でも必ず進むべき道だ」

「未来に進むためには大胆な変化・革新が必要」

つまり韓国は、日本から輸入している核心部品・素材の完全国産化を大目標に掲げて走り出したのだ。

世界の先端を担う大規模メーカーはどこも、グローバルサプライ・チェーンを背景に成り立っている。

安くて良い部品を造れるメーカーを、世界中から探し出して、そこから部品・素材を調達して、組み立てるのだ。アップルが良い例だ。

サムスンも同じだ。国内に信頼できる部品供給メーカーがほとんど存在しないから、世界中から調達して、中国やベトナムで組み立てている。

が、文在寅の命令は、グローバルサプライ・チェーンに並び立つ部品メーカーを今からつくれ、あるいは劣後部品しか造れないメーカーを世界トップレベルに引き上げろということなのだ。

そのための政府支援予算が1000品目に対して、わずか2兆ウォン。あとは財閥が負担せよということなのだろう。

グローバルサプライ・チェーンに名を連ねるメーカーは、世界中に売りさばいて成り立っている。韓国の新興部品メーカーが〝まがいもの〟ができましたと発表したところで、大量調達する最終メーカーがあるのか。

国策に沿って「できました」というメーカーの部品を、仮にサムスンが買い入れて製品化したら、原価は高くなり、精度に対する信頼度は落ち込む。

もちろん韓国の部品メーカーのことだ。政府補助金だけ貰って（飲食代に充て）、いつまで経っても「鋭意開発中」と言い続けるのだろう。

対日不買運動の大成果

いや、韓国の新聞を見ていると、既に様々な部品・素材の開発に成功したことになっている。高品位のフッ化水素も完成したことになっている。

そんな短時日で、たいした研究・開発費も掛けずに「開発完了」なら、なぜ今までサボっていたのか。

「実験室で、できた」のと「安定供給できる商用化に成功」とは、レベルが全然違う。ところが、文在寅政権の中枢には、文系出身の学生運動家で、その後も政治活動だけで過ごしてきた高官が多い。おそらく、彼らには「実験室で……」と「安定供給できる……」との違いは理解できまい。だから不買運動３カ月目にして「日本に勝った、勝った」と言っているのだ。

例えば与党の院内代表（国対委員長に該当）は、日本の対韓輸出管理強化の発表から１００日を前に、こう述べた。

「この100日間は国全体が固く団結し、危機をチャンスに変えた貴重な時間だった。各企業は輸入先多様化に活路を開きつつ、国産化を通じて技術自立の道を一歩、また一歩と踏み出している。我々は日本の経済報復100日目にして誰も揺るがすことのできない国へと前進している」（朝鮮日報19年10月11日）

これは選挙演説ではない。党政策調整会議での発言だ。内輪の会合でも、こんな演説調らしい。北朝鮮に似てきた。

院内代表の発言通りなら、日本の措置のおかげで、韓国は立派な国に向かって進むようになったのだから、日本に「ホワイト国に戻して」と泣きつく必要はない。日本に感謝しなくてはなるまい。

そもそも、韓国の大手財閥系の半導体関連メーカーが売上高の面で世界レベルに急浮上できたのは、研究開発費をほとんど使わずに、グローバルサプライ・チェーンから部品を「安く」「確実に」調達できたからだ。

彼らに、自前の研究開発はできない。

しかし、文在寅政権は、そう思っていない。「自主開発しろ」と命じれば「できる」と思っている。だから1000品目に対して2兆ウォンも支援するのだ、と。

大統領の発言は「天の声」であり、「日本製部品を使うな」という世論は「地の声」だ。

だから各財閥は、日本に依存している部品のうち、いくつかを国産化せざるを得まい。

それで必死になっている様子を捉えたのが朝日新聞（20年1月21日）の記事だろう。

「歴代政権の国産化の取り組みは実を結ばず、日本側も冷ややかにみていたが、官民挙げて猛スピードで対策を実現しつつある」

「日韓経済に詳しい韓国政府関係者は『日本は輸出規制で半導体という韓国の一番痛いところを突き、寝た子を起こした。今回の脱日本は、これまでよりスピード感も質も違うことは確かだ』と話す」

この記事は、その日のうちに中央日報に転電された。

「朝日はその間失敗してきた『脱日本』が成功した理由について、関係者を引用して『時間とカネをかければ、できないことはなかった。だが、素材や部品は利幅も薄く、隣の日本から調達すれば事足りると考えていた。それが今回は、政府も業界も本気で取り組んでいる』と説明した」と中央日報は伝えた。

朝日の記事のタネは、すべて韓国サイドだ。それを転電報道した中央日報の記事では、既に「脱日本」が成功したことになっている。脳内お花畑だ。

日本の大学教授や評論家が、韓国の官庁エコノミストから聞いた話を、そのまま日本の雑誌に書く。すると韓国の新聞が「日本の著名な大学教授」「日本の権威ある雑誌」を前面に立てて転電報道して、国民を喜ばす。第2章で紹介した情報心理戦のパターンそのままだ。

が、韓国企業が付け焼き刃で造った部品は容易にはグローバルサプライ・チェーンに〝上場〟できない。

各財閥は、自前で開発した高原価部品を、経済合理性を無視して、自分のところで引き取るしかない。

そうして韓国の財閥は、コロナ禍が収束しても国際競争力を失っていくだろう。これこそ、文在寅政権が主導した対日不買運動の「大成果」として歴史に記録されるだろう。

終章　「大韓人民共和国」の人民は幸せか

夢の経済政策の実態

文在寅政権が発足以来、頑固に押し立てているのが「所得主導成長政策」だ。法定最低賃金の大幅引き上げ、個人や世帯を対象とする各種補助金の分厚い配分により、国民の所得と購買力を高めることで、景気の好循環を持続していく――という夢のような経済政策だ。

左翼政権は「分配」にしか関心がないことを示す政策とも言えよう。

この政策の中軸に位置する大幅な法定最低賃金の引き上げは、結局のところ、低所得層の勤労所得を減らした。

韓国の法定最低賃金改定作業は、日本と同じで毎年夏に労使と公益代表の協議で決まり、翌年1月1日から施行される。ただし、日本は都道府県ごとに最低賃金が違うが、韓国は全国一律だ。

17年の大統領選挙では、有力候補が全員、最低賃金の大幅引き上げを公約に掲げた。18年の最低賃金が一挙に16・4％も上がったのは、そうした背景がある。

最低賃金の引き上げは、賃金体系全体に底上げをもたらす。最低賃金で働いているアルバイトより正社員の月給が低くなっては職場が収まらない。みんな賃金が上がるのだ。

そんな人件費増に耐えられない中小・零細企業が続出するのは目に見えている。

そこで政府は、従業員30人未満で雇用保険に加入している企業には「雇用安定支援金」を支給することにした。

月給190万ウォン未満の勤労者がいる場合は、1人当り「最大で」月13万ウォンを企業に補助金として支給する制度だ。

すぐに「最大で」が「一律に」に変わった。2018年の発足当初は「1年限りの措置」としていたが、この種の補助金が打ち切れるはずがない。制度継続となり、19年には対象基準も月給210万ウォン以下に拡大した。

政府は19年、申請事業主を238万人と見込み、2兆8000億ウォンの予算を組んでいたが、申請事業主は見込みを90万人以上もオーバーし、予備費を充当した。

しかし、本当の零細事業所は雇用保険に加入していない。小さな商店主など自営業者（個人事業主）は、ほとんどが雇用安定支援金の申請資格からしてないわけだ。

自営業者の圧倒的多数は、従業員ゼロ（家族労働者は別）だが、コンビニは原則24時間営業だから相応のアルバイトがいる。

しかし「日本よりも人口比の店舗数が約1・5倍多い」「店舗当たりの売上高は日本の4分の1」（ハンギョレ17年8月9日）というのだから、経営は苦しい。

「われわれにも補助金を」と要求するコンビニの店主団体に、政権が見せた対応がすごい。

「お前たちは、フランチャイズ本社にどれだけ搾取されているのだ。その搾取をやめさせれば、最低賃金のアップ額など何の問題でもないはずだ」

ここに左翼政権中核の「大企業」観、同時に韓国人の「契約」（約束）観が如実に現れている。

フランチャイズ本社は儲けているのだから、フランチャイズ契約を、改定時期など無視して改定させればいい。イチャモンを付ければ、有利な形に変えられるさ――というわけだ。彼らにすれば国と国との約束も、都合が悪くなったら、イチャモンを付けて変えさせればいいのだ。

もちろん、フランチャイズ契約は、既存の法律により変えられなかった。その現実こそ、文在寅政権にとっては「打破すべき既得権益＝保守の壁」なのだ。

結果として、減員に踏み切ったコンビニ、零細工場、小規模商店が多かった。

しかし、おそらく、もっと多かったのは「最低賃金の値切り」だ。

常に就職難、しかも労政当局の取り締まりがほとんどない（実態は、違反事業所があまりにも多くて取り締まれない）国では、小規模事業所ほど「うちは、これしか払えない。嫌なら別の所で雇ってもらえ」との台詞が効く。

「野党議員が統計庁の経済活動人口付加調査を分析した結果、19年8月現在で338万4000人（全勤労者の16・5％）が最低賃金を下回る賃金」（朝鮮日報19年12月2日）だったという。

最低賃金は19年には10・9％上がった。20年は、さすがに労働側も「まずい」と思ったのだろう。2・9％で妥結した。

それでも3年間の累積引き上げ率は32・8％になった。時給8590ウォンだ。

低所得層に打撃

しかし、企業の人件費負担増は、これで終わりではなかった。

19年に「週休手当制度」が発足した。1週に15時間以上の勤務をした従業員には、有給の休日を1日与えなければならないという内容だ。

月給を貰って週休2日になっている正規職、非正規職は、この制度が既に織り込み済みだ。それをアルバイトや日雇いにも拡大するという趣旨だ。

具体的には、週5日出勤し40時間の勤務をしたアルバイトには、48時間分の賃金を払わなければならない。最賃の累積引き上げ率が、さらに2割かさ上げされるということだ。

最低賃金委員会は、週休手当てを含めると、20年の最低賃金は時給1万318ウォンと発表している。

しかし、上に政策あれば、下に対策あり。雇い主は週に14時間半だけ働くアルバイトを何人も雇い始めた。

アルバイトの方からすれば、14時間半の仕事先を3カ所確保すれば、前の収入をほぼ確保できる。しかし現実は、日程が合わなかったり、仕事先が遠かったり……で、短時間労働者が急増した。

結果として、週休手当制度の導入により、低所得層ではタイムシェアリングが進み、その分だけ雇用率が上がった。しかし低所得層の個々人を見れば、勤労所得が減少した。

18年10～12月の家計動向調査（統計庁）の結果を、朝鮮日報（19年2月22日）がこう伝えている。

▽第1分位（筆者註＝全世帯を所得の低い順に並べて、それを5分割した統計で、第1分位は所得下位20％の世帯を指す）の名目所得は前年同期を17・7％下回り、03年の統計開始以来で最大の減少幅を記録。

▽勤労所得だけ見ると36・8％の減少。

▽第2分位（所得下位20～40％）の所得も4％減少。

▽第5分位（所得上位20％）の所得は10・4％増加した。

最低賃金の引き上げは、低所得層に打撃を与えたが、高所得層は職を失うこともなく、賃金体系の底上げ効果により、収入が増えたのだ。

社会主義経済政策を進める左翼政権にとって、これは支持者離反の危機ではないか――と、多くの日本人は考えるだろう。

しかし、そうではない。文在寅政権の岩盤支持層は、実は第5、第4分位に広がっているのだ。

19年7～9月期の家計動向調査（統計庁）を見よう。

第５分位の月平均所得は９８０万ウォン、うち勤労所得は９７４万ウォンで、前年同期より１・９％増えた。

韓国の自動車５社の月平均賃金は、既に18年には８９１５万ウォンに達していた（朝鮮日報19年12月28日）。もちろん19年分のベアがあった。

自動車５社は、過激派労組である民主労総の本拠地だ。その組合員たちは第５分位、つまり韓国の上流階級なのだ。

家計動向調査は単身世帯を除外している。韓国の有配偶者世帯の共稼ぎ比率は46・３％で、６割水準にある日本よりは低いが、ほぼ半数の世帯は共稼ぎだ。

18年の統計には、世帯当たりの就業者数も出ていた。こうした数値は激変しない。18年の統計によると、第５分位の平均就業者数は２・０６人。自動車産業の社員は、配偶者の所得を加えるまでもなく、堂々の第５分位なのだ。

分位が下がるほど、世帯当たりの就業者数は減少し、第１分位では０・６９人になる。３割の世帯は誰も働いていないわけだ。

ちなみに、第４分位の月平均勤労所得は18年７～９月期が５６９万ウォン、19年７～９月期が５８９万ウォンだった。

消灯係を準公務員に

韓国の労組組織率は20％に至らないレベルであり、大企業と公営企業の従業員、公務員が大部分を占める。彼らは、最低賃金が上がったからといって解雇されることはない。底上げ効果だけを享受したのだ。

韓国は、企業規模による賃金格差が甚だしい。財閥系企業は、高給であり労組もあるが、その雇用人員は全勤労者の10％にも足らない。大学新卒者のうち、ホワイトカラーとして財閥系大手に就職できるのは2％ほどだ。

雇用者数で見れば8割以上を占める中小企業は、大部分が労組もなく、低賃金だ。

それで大学卒業予定者は、公務員になるか、公営企業か大手財閥系に就職しようと、専門の学習塾に通う。そして失敗すると、就職浪人を厭わない。それで大卒男子の平均入社年齢が30歳前後になる。

浪人、留年、留学、兵役、そして就職浪人すると、そんな年齢になってしまうのだ。

日本人は「留学」に驚くだろう。が韓国の大学生が休学して外国に1年か2年留学するのは何ら珍しいことではない。といって、ハーバードやオックスフォード大学に行くわけではない。フィリピンや豪州の外国語学校、あるいは米国で韓国人が経営し学生は韓国人だけといった〝奇妙な大学〟が多い。

これは「外国留学をしていました」と言えなければ、就職試験の第1関門でライバルに後れを取るからだ。

大学進学率は7割を超えるから、大卒者は「普通の存在」だ。ところが、韓国の大卒者は、自分たちをエリートだと思っている。そして「額に汗する仕事は下人がすること」という李王朝以来の儒教的価値観から抜け出せない。

左翼紙ハンギョレの大学新卒者の就職先の分析記事（19年12月24日）でも、大卒者がサービス・販売職などに就くことを「下方就業」と断じている。

それで定年退職した親が、30歳過ぎの息子を扶養する家庭が珍しくない。だから60歳を超えた人々の求職熱は凄まじい。政府や自治体が失対事業をバラマキすれば、それに群がるのだ。

19年7～9月期の第1分位の平均所得は137万ウォンで前年同期より4・9％増加した。

しかし内訳を見ると、勤労所得は44万7千ウォンで、同6・5％減った。移転所得

（公的補助金など）が60万ウォンで同8・6％増加した。

この19年7～9月期の家計動向調査を根拠に、文在寅大統領は20年の新年の辞で「第1分位の所得が増加に転換した」と自画自賛して見せたのだ。

19年10月の雇用動向調査について、朝鮮日報（19年11月14日）が要点を的確にまとめているので、抜粋する。

▽就業者数は前年同月を41万9000人（1・5％）上回る2750万9000人。雇用率は61・7％で、単月ベースでは23年ぶりの高水準。失業率は3・0％で前年同月を0・5ポイント下回った。

▽多額の財政資金が投入される保健・社会福祉サービス業（15万1000人増）での増加が目立った。しかし製造業の就業者数は8万1000人減で、19カ月連続での落ち込み。

▽60歳以上の就業者は41万7000人増。これに対して40歳代は14万6000人減、30歳代は5万人減少。30・40歳代の雇用がいずれも減少するのは25カ月連続。

▽週当たりの労働時間が36時間未満の短時間労働者が前年同期比59万9000人（13・6％）増。特に1～17時間の超短時間労働者は33万9000人（22・6％）増。

これに対し、36時間以上の就業者は18万8000人（0・8％）減少。

▽それなのに政府は「就業者数、雇用率、失業率の3大雇用指標が明らかに改善し、雇用市場は回復の流れがしっかりしてきた」と評した。

文在寅政権は「雇用の政府」と自称して登場した。雇用問題を解決するとの意味だ。それで様々な失業対策事業を振りまいた。新たな準公務員職種もいろいろと「開発」した。

お笑いは「電気管理士」だ。「省エネ人材」と言えば確かにそうだが、大学の構内を歩き回り、講義が行われていない教室のエアコンや照明を消す仕事だ。

官公庁の出先機関の長に付ける「日程管理（だけ担当の）秘書」も、その一つだ。

韓国型カースト制度をつくっているような気がしてくる。

結果として、失業率は低く抑えられ、雇用率は伸びた。当たり前だ。公園の草むしりのような失対事業を週に1度して、いくばくかの手当てを得た人は統計上、失業者ではなく、有職者（雇用人員）に数えられるからだ。

新型コロナウイルス感染拡大により、多くの失業対策事業は中断した。しかし、韓国の失業統計は、失業対策事業の対象者も含めて、あらゆる無給休業者を「有職者」

に含めている。

「電気管理士」は大学で講義が再開されれば、また仕事に就けるのだから「無給休業者」であり、従って「有職者」であるというのだ。

そうした有職者が増えたところで、輸出不振、消費停滞などの影響で、製造業部門、あるいは30歳代、40歳代の雇用は減っているから失業給付金が増える。18年の雇用保険基金の支給額は11兆6千億ウォンだった。雇用労働者の推計によると、20年の支出額は21兆5千億ウォンに達し、年末には雇用保険基金の残高がほとんど消尽する。

バラマキ買収活動の理由

若年失業率は相変わらず高い。韓国は16年に法定定年を60歳に延長した。急速に進む高齢化への対応措置だったが、産業基盤が拡大したわけではないから、企業は新採用を絞る。若年層の就職への門戸は一層狭まった。

統計上は「勤労意欲なしにつき失業者ではない」と処理されるいわゆるニートを含めると、若年層の4人に1人は「実質的な失業者」だ。

しかし、ソウル市など余裕がある自治体は、19〜34歳の未就労者に「青年手当」なるものを支給している。月50万ウォン。「ニートへの小遣い」と呼んだ方が分かりやすい。

国は、従業員30人未満の事業所が、30歳以下の人間を新規雇用した場合には、事業主に年間２７００万ウォンの補助金を給付する。その人間の人件費を国が丸々支払っているようなものだ。

まだまだある。就業者はいるが低所得の世帯に分配する「勤労奨励金」。18年の予算枠は２兆ウォンだったが、19年は４兆９千億ウォンに拡大された。

青年（18〜34歳）求職者には、月50万ウォン、６カ月限度の求職活動支援金。

低所得の高齢者（60歳以上）を対象とした基礎年金（非拠出型）が月30万ウォン。

何らかの公費補助（拠出型の年金を除く）を受け取っている世帯は、朴槿恵政権下の14年は34・１％、文在寅政権が発足した17年は35・７％だったが、19年には45・１％に拡大した。20年には５割の大台に乗ると予想されている。

政府債務は11年４０２兆ウォン、15年５５６兆ウォン、19年７０４兆ウォンと急テンポで増加している。これも債務の一部を公営企業に付け替え作業をした後の数字だ。

どう見ても〝まとも〟な経済社会体制とは思えない。しかし、そう思うのは、自由主義経済体制を基準にしているからだ。

文在寅大統領は19年中に何度も「わが国経済は良い方向に進んでいる」と述べた。国民みんなが国家から給料を貰う体制、つまり〝大韓人民共和国〟を目指す立場からすれば、韓国経済の状況は「良い方向に進んでいる」のだ。

世帯や個人を対象に支給する補助金（各種の手当）とは「ポピュリズム」と呼ぶほど生易しいものではない。それは、政権の、政権による、政権のための「公費をもってする日常的な票の買収活動」だ。

文在寅政権は、なりふり構わぬバラマキにより、20年4月15日の国会議員選挙に賭けた。選挙直前には「全世帯の7割に災難支援金を給付する」と発表した。単身者は40万ウォン、4人世帯なら100万ウォン。コロナウイルス禍を〝悪用〟した票買収だ。

選挙後には与野党一致で支給対象が7割から全世帯に拡大した。

後々の財政負担など、どうでもいい。決して「右」に戻れない体制＝左翼勢力による永久政権を築いてしまえば、後はどうにでもなるという読みなのだろう。

〝大韓人民共和国〟に向かって進む体制の中にいる国民は幸せなのだろうか。

第5分位の中でもトップクラスにいる大資産家たちは不安だろう。米国への移民を目指す動きが本格化している。

しかし、労組という防波堤に守られて第5分位にいる人々は「わが世の春」だ。第4分位の人々も、そうは不満を感じていないだろう。

出生率が0・9台に

では第3分位以下はどうなのか。

李明博政権の時代だろうか、「3放世代」という言葉が生まれた。就職、恋愛（結婚）、出産の3つの夢を放棄せざるを得ない若者たちのことだ。そして「ヘル・コリア」（地獄の韓国）という言葉も流行った。韓国のジャーナリストによると、どちらの言葉も「赤いタマネギ男」こと曺国の周辺が流行らせたらしい。

二つの流行語とも、文在寅政権の発足後はほとんど聞かれなくなった。しかし現実を統計数値で捉えれば、「3放世代」と呼ばれるべき若者が一層増えているし、「ヘル・コリア」の状況は一層深刻になっている。

青年失業率が南欧並みに高いことは既に触れた。結婚件数も減少している。

「18年の婚姻件数は25万7622件で17年から6833件（2.6％）減少し、71年（23万9457件）、72年（24万4780件）に次ぐ低水準となった」「人口1000人当たりの婚姻件数を示す粗婚姻率は5.0件で、統計を取り始めた1970年以降、最低となった」と、事実上の国営通信社は淡々と伝えた（聯合ニュース19年3月20日）。

「青年層（15～29歳）の未婚人口比率は2000年には82.1％だったが、15年には94.1％に上昇した」（中央日報18年7月3日）との報道もある。82％から94％へ――これは、驚嘆すべき数値だ。29歳以下の既婚者はほとんどいないということだ。

結婚しないと子供が生まれないというわけではないが、出生率も劇的に下落している。

18年の日本の合計特殊出生率（1人の女性が生涯に産む子供の数）は1.42、19年は1.36に落ちたが、ここ30年ほどの流れの中で見れば05年の1.26よりはずっと良い。

一方、21世紀に入ってからの韓国は01年の1.29が最高だった。ジグザグはあれ、流れの方向は減少であり、17年には1.05、そして18年は0.98。

「19年7～9月の合計特殊出生率が0.88人に下がった。18年の同じ時期（0.96

人）より低い。ソウルは0・69人、釜山（プサン）は0・78人」（韓国経済新聞19年11月30日）。

19年通年では0・92だったが、20年1〜4月の出生数は前年同月比10％超の減少だ。20年は0・8台への落ち込みが確実だろう。21年はこの趨勢に新型コロナウイルスの影響が加わる。

台湾で通年ベース1・0を下回ったことがあったが、これは干支にまつわる迷信が影響したためで、翌年には回復した。

干支の関係もなく、戦争があったわけでもないのに、出生率が0・9台まで落ち込んだ近代国家は、韓国が初めてだろう。

若年層に職が乏しく、30歳にして就職できたとしても非正規職が半数で、いつ解雇されるかもしれない。そんな状況で結婚して子供をつくる気にはなれまい。

自殺率と70代の売春婦

出生率は世界最低を更新中だが、世界最高を記録している部門もある。

自殺率だ。リトアニアがOECDに加盟したことで、17年の自殺率（10万人当たりの自殺者）は24・3人で、OECD2位になった。が、18年は26・6人で、再びトップに返り咲いた。

分けても高齢者の自殺率は断トツだ。18年の場合、70歳代は48・9人、80歳代は69・8人だ。

韓国では、子息への教育投資こそ即「高齢対策」だった。1990年代の世論調査では「親の面倒は子供がみるべき」が9割近かった。

が21世紀になると、「親の面倒は子供がみるべき」は2割を切った。

家族に関する基本的価値観が、短時日にして、これほど変化することがあり得るのだろうか。いや、韓国では現にあった。それが韓国なのだ。

法定定年は60歳に延びたが、大手財閥系のホワイトカラーは45歳を超えたら「肩叩き」がいつ来るかを怯える。「45定」（サオヂョン）という。

仮に50歳で大手財閥系から放り出されたら、再就職できる人は稀だ。それで退職金を注ぎ込んで食堂（典型がチキンの唐揚げ屋）を開いたり、家を改造して民泊を始めたり……韓国の自営業者比率が25％程度と、世界でも最高レベルにあるのは、「45定」に遭った（韓国では「名誉退職した」という）民間のホワイトカラーが次々と参入してくるからだ。

が、自営業者になって成功する人は稀だ。早々と廃業するか、収入階層としては1～3分位を漂う。そこに30歳前後の「無業の息子」がいたら、もう世の中は真っ暗だ。とても高齢の親の面倒を見る財力はない。

息子が面倒を見てくれるはずと信じて教育投資に励んだ高齢者はもっと真っ暗だ。

韓国の高齢者（65歳以上）の相対的貧困率はＯＥＣＤ加盟国の中でダントツだ。古いデータしか見つからなかったが、13年の相対的貧困率は49・6％だった。相対的貧困率とは、所得の5分位統計で、第3分位の平均所得の半分以下の比率だ。

日本のそれは、このところ16％程度だが、実際の所得額で見ると、韓国の2倍以上だ。日韓の物価はほとんど同レベルだ。ビッグマック指数では韓国の方が高い。だから、韓国の高齢層は生活が苦しい。

70歳代の「バッカスおばあさん」（売春婦）が出没し、老人同士が段ボール回収の場所を取り合いして死者まで出るのも、こうした背景があるわけだ。

政権ベッタリの新聞ハンギョレ（19年12月16日）まで、政府系の調査資料を引用して、こう報じた。

「19～34歳の若者10人のうち８人は韓国社会を『ヘル（地獄）朝鮮』と評価し、７・５人は韓国を離れて暮らしたいと答えた」

いや、国に留まって、〝大韓人民共和国〟を目指す左翼政権と闘ってください。間違っても、嫌いな国に行き、生活保護を受けて暮らそうなどと夢想しないように――私としては、そうとしか言えない。

あとがき

韓国で文在寅政権が発足した日（2017年5月10日）の夕刊フジに、私は「文大統領誕生で『暗くて赤い韓国』開幕　経済沈没は必至…日本には徴用補償要求か」という見出しの記事を書いた。文在寅については「左翼のヒトラーと言えるような人物」と評した。

その日の夕刻、馴染みの居酒屋に座ると、夕刊フジを持った高齢の男性がいた。初めて見た顔だ。

▽その男性「日刊現代を買ったつもりが、フジだった」

▽同じぐらいの年配で、友人らしい男性「俺も時たま間違える」

▽男性「それにしても、ひどいものだ。この記事なんて、韓国嫌い丸出しだ」

▽友人　夕刊フジをちょっと読み、「在韓米軍の追放なんて、あるわけないだろう

に」

▽男性「韓国だって、国と国との約束は守るさ。文さんが人権派の弁護士だったことも知らないのかな。これを書いた奴、バカだろう」

バカと言われているのに、〝情弱〟高齢層の本音を知った満足感からか、笑いが込み上げてきた。それを噛みこらえながら下を向いて飲んだが、多くの韓国人にとっての不幸は、この記事の予想がほとんど的中してしまったことだ。

最近の韓国紙を読めば、大統領が「人権派の弁護士」だったことは、もはや皮肉としてしか出てこない。保守系紙で目を引くのは「軍事独裁政権の下でもなかったこと」という表現だ。軍事独裁政権より、ずっと悪質だという意味だ。

文大統領は20年の新年の辞で、こう高らかに述べた。

「私たちは〝共生の力〟を確認しました。日本の輸出規制措置に対応して核心素材・部品・装備の国産化に企業と労働界、政府と国民が共に力を集めました。

〝誰も揺さぶることはできない国〟という目標をすべての国民が共にしました。数十年の間できないことだったが、わずか半年で意味ある成果を成し遂げました」

同年5月の就任3年記念演説では、さらに舞い上がって、こう述べた。

「われわれの目標は世界を先導する大韓民国」

「大韓民国が〝先端産業における世界の工場〟となり、世界的な産業の勢力図を塗り替えます」

この脳内お花畑ぶりなら、日本に向かって「ホワイト国に戻せ」と要求する必要などなかろうに、韓国の政府はGSOMIAの〝今度こそ本当の廃棄〟まで匂わせて、吠え続けている。

それは、日本政府が戦略物資の対韓輸出禁止に踏み切る事態が迫っていると読んでいるからだ。逆に言えば、いわゆる徴用工判決に沿って差し押さえている日本企業の資産を売却せざるを得ない時が近づいているのだ。

韓国の政権は「司法の判断に政府は介入できない」「徴用工問題は司法の領域」と言ってきたのだから、いずれ差し押さえ資産売却に踏み切らざるを得ない。

文在寅大統領が2020年6月25日の朝鮮戦争70年式典の記念演説で、唐突に「わが民族が戦争の痛みを体験する間、かえって戦争特需を享受した国々もあった」と、嫌味たっぷりに述べたことは〝さらなる反日〟に向けたスタートの合図なのかもしれない。

〝さらなる反日〟に突き進めば、日本の対韓経済「制裁」は不可避であり、韓国経済はますます混迷する。

そうなって欲しくないと願うのは、自由主義経済下の思考に染まった人々だ。

韓国の左翼指導層は、あらゆる基礎認識が日本人とは違うし、日本人には思いつかない発想をする。

彼らにとっては、韓国経済のさらなる混迷は、「暗くて赤い大韓人民共和国」へのアクセルをいっぱいに踏み込むチャンス到来なのではあるまいか。

そこに至る過程では、韓国軍が日本の船舶に軍事挑発を仕掛けてくることも予想できる。

日本は「レッド・コリアの出現は間近だ」と見て、その備えに、万全を期さなくてはならない。

室谷克実

室谷克実（むろたに・かつみ）

1949（昭和24）年東京都生まれ。評論家。慶應義塾大学法学部を卒業後、時事通信社入社。政治部記者、ソウル特派員、宇都宮支局長、「時事解説」編集長などを歴任。2009年に定年退社し、評論活動に入る。著書は『呆韓論』『ディス・イズ・コリア　韓国船沈没考』（産経新聞出版）、『悪韓論』『日韓がタブーにする半島の歴史』『韓国は裏切る』（新潮新書）、『朝日新聞「戦時社説」を読む』（毎日ワンズ）、『崩韓論』『反日種族の常識』（飛鳥新社）など多数。

韓国のデマ戦法

令和２年８月１日　第１刷発行

著　　者　室谷克実
発 行 者　皆川豪志
発 行 所　株式会社産経新聞出版
〒100-8077 東京都千代田区大手町1-7-2
産経新聞社８階
電話　03-3242-9930　FAX　03-3243-0573
発　　売　日本工業新聞社　電話　03-3243-0571（書籍営業）
印刷・製本　株式会社シナノ
電話　03-5911-3355

ISBN 978-4-8191-1385-4　　C0095